BONBONS ASSORTIS
AU THÉÂTRE

MICHEL TREMBLAY

BONBONS ASSORTIS AU THÉÂTRE

PIÈCE EN DEUX ACTES

LEMÉAC

Photographie de la couverture : Joshua Kessler

Leméac Éditeur remercie le ministère du Patrimoine canadien, le Conseil des arts du Canada, la Société de développement des entreprises culturelles du Québec (SODEC) et le Programme de crédit d'impôt pour l'édition de livres du Gouvernement du Québec (Gestion SODEC) du soutien accordé à son programme de publication.

ISBN 2-7609-0395-8

© Copyright Ottawa 2006 par Leméac Éditeur Inc.
4609, rue d'Iberville, 3ᵉ étage, Montréal (Québec) H2H 2L9
Dépôt légal – Bibliothèque nationale du Québec, 1ᵉʳ trimestre 2006

Imprimé au Canada.

CRÉATION ET DISTRIBUTION

Cette pièce, inspirée du recueil de récits *Bonbons assortis,*
a été créée le 28 mars 2006 au Théâtre du Rideau-Vert
dans une mise en scène de René Richard Cyr.

LE NARRATEUR :	Gilles Renaud
NANA :	Rita Lafontaine
ALBERTINE :	Adèle Reinhardt
VICTOIRE :	Pierrette Robitaille
GABRIEL :	Germain Houde
JOSAPHAT :	Pierre Collin
LISE ALLARD :	Sandrine Bisson
ASSISTANCE À LA MISE EN SCÈNE :	Isabelle Brodeur
DÉCOR :	Richard Lacroix
ACCESSOIRES :	Éliane Fayad
COSTUMES :	Marie-Pierre Fleury
ÉCLAIRAGES :	Michel Beaulieu
MUSIQUE :	Alain Dauphinais

PERSONNAGES

LE NARRATEUR

NANA :	Fin de la quarantaine
ALBERTINE :	Milieu de la quarantaine
VICTOIRE :	La soixantaine
LISE ALLARD :	La vingtaine
GABRIEL :	Fin de la quarantaine
JOSAPHAT :	Fin de la soixantaine

*Pour ma cousine Jeannine Laurin
qui aurait tant de choses à dire
sur cette même époque…
avec toute mon affection.*

PREMIER ACTE

Le narrateur se mêlera à l'action en disant les répliques du petit Michel avec sa voix d'adulte, comme s'il était sur place.

Pendant le monologue du début, le narrateur est confortablement installé dans son fauteuil favori, celui dans lequel il aime rêvasser.

LE NARRATEUR. La mémoire est un miroir qui choisit les images qu'il veut réfléchir. La mémoire est un miroir trompeur. La mémoire est une tricheuse. Elle embellit ou enlaidit, elle interprète à son gré et conclut comme elle l'entend, elle ment sans vergogne et nous conduit la plupart du temps dans des avenues que notre conscience nous conseillerait de ne pas emprunter mais qui semblent tellement irrésistibles et prometteuses ; elle ressuscite des faits qui n'ont pas eu lieu et gomme des événements majeurs, elle souligne à grands traits des insignifiances sans nom et choisit d'oublier des détails essentiels, enfin bref elle brode autour de nous un écho déformé des choses révolues et nous l'impose comme vrai alors qu'il n'en est qu'une interprétation approximative. Mais toujours plus intéressante, plus animée, plus vivante que la réalité. La mémoire est la mère de l'invention. Et la sœur aînée de l'imagination. Ce que vous allez voir dans les scènes qui suivent, par exemple, s'est vraiment produit quand j'étais enfant, c'est-à-dire que les faits sont vrais, la base, l'anecdote, le fond de l'histoire, tout ça pourrait être vérifiable et raconté par quelqu'un qui aurait été présent en même temps que moi, mais le souvenir que j'en garde, moi, l'interprétation que j'en fais et surtout ma façon de l'exprimer sont dictés par mon miroir trompeur personnel qui, vous allez le voir, s'en est donné à cœur joie. Le récit que pourrait en faire quelqu'un d'autre serait en toute probabilité très différent. Du moins dans sa forme. Dans une autre de mes pièces, la même mère que celle que vous rencontrerez tout à l'heure disait à son fils que les choses ne sont jamais assez intéressantes pour qu'on les raconte telles quelles. C'est là, je crois, la devise absolue de ma mémoire. Pour mon plus grand bonheur, quand j'écris, parce qu'il n'y a rien que j'aime plus dans la vie que de ressusciter ces personnages de mon enfance, les décrire et les faire parler, et le vôtre aussi, je suppose, puisque vous êtes là, puisque vous avez choisi de débourser de l'argent durement gagné pour assister à ce qui va se passer sur cette scène dans les heures qui suivent tout en doutant de la véracité de ce que vous allez y trouver. Le danger, bien sûr, est de vous décevoir. Mais ça, je n'y peux rien. J'ai fait ce que j'ai pu avec ce que j'avais. Comme toujours. En réinventant tout avec l'aide de la mère de l'invention et de la sœur aînée de l'imagination.

La lumière se fait sur la salle à manger d'un appartement montréalais des années quarante. Quand l'action se passera ailleurs, la pièce sera plongée dans la pénombre. Nana, Albertine et Victoire sont attablées et comptent de l'argent.

LE NARRATEUR. Ne me cherchez pas, je suis caché sous la table, comme d'habitude, et j'écoute ce qui se dit au-dessus de moi. Dans ma cachette, il fait chaud, ça sent le savon et le parfum bon marché, le bois verni, le vieux tapis tressé, et il m'arrive d'être obligé de me tasser parce que des pieds chaussés de pantoufles en laine ou en minou s'agitent sans cesse autour de moi. Quand elles écartent les jambes, je vois des bouts de culottes blanches, bouffantes chez ma mère, serrées en haut du genou dans le cas de ma grand-mère, usées par trop de lavages à l'eau de Javel pour ma tante Albertine. Il m'arrive aussi de recevoir des petits coups de pieds quand les jambes s'agitent sous la table. Quand c'est ma mère, c'est un hasard, quand c'est une des deux autres femmes, je sais que c'est pour vérifier si je suis toujours là. Si je n'y étais pas, les choses seraient dites autrement, avec moins du prudence et plus de clarté. Mais je suis presque toujours là. Les écouter me donne encore plus l'impression de faire partie d'une vraie famille que lorsqu'on s'adresse à moi... Parce que je suis le plus jeune de la maison, on est souvent prudent devant moi, on ne dit pas les choses telles quelles, mais quand je suis caché sous la table, on finit par oublier que je suis là et les vraies choses sortent, moins déguisées, moins « arrangées »... C'est ces moments-là que je guette... Pour le moment, les femmes de la maison sont toutes les trois nerveuses. Parce qu'elles n'ont pas d'argent pour acheter un cadeau de noces à Lise Allard, la fille de la voisine d'en face, qui se marie bientôt.

Il se glisse sous la table, rabat la nappe sur lui.

NANA. On pourrait y acheter quequ'chose à une ou deux piasses, mais ça a pas de bon sens, on passerait pour les pauvres qu'on est ! C'est ben beau d'être pauvre, mais faut pas que ça se voye ! La pauvreté, ça se vit, pis ça se cache ! Les Allard sont pas plus riches que nous autres, mais y arrivent à le cacher pis on peut faire semblant qu'on le sait pas. Faut que ça soye pareil de notre côté. Y faut que ce cadeau-là soye trop beau pour répondre au cadeau trop beau qu'y ont faite à Thérèse quand a' s'est mariée.

ALBERTINE. Y était pas beau pantoute.

VICTOIRE. Y était même très laid.

NANA. C'est pas ça que je veux dire ! Vous le savez très bien ! Faites-moi pas parler ! Y était laid, c'est vrai, mais y avait coûté cher, c'est ça qui compte ! Mais nous autres…

VICTOIRE. Nous autres, on a vraiment pas de quoi faire semblant qu'on est riches avec ce qu'on a sur la table !

ALBERTINE. On a même pas de quoi faire semblant qu'on est pauvres, Jésus-Christ !

Nana donne une tape sur la main d'Albertine.

NANA. Sacre pas comme ça, le petit est en dessous de la table !

ALBERTINE. Si y a le droit de renifler mes jarrets, je vois pas pourquoi y aurait pas le droit de m'entendre sacrer !

NANA. Y renifle pas tes jarrets !

ALBERTINE. C'est quoi qui m'a frôlée, tout à l'heure, d'abord ? Un fantôme ? Un rat ? Y va finir renifleux de caneçons, c't'enfant-là, c'est moi qui vous le dis !

VICTOIRE. Bartine, commence pas, c'est pas le temps…

NANA. Où c'est que tu prends ça, ces expressions-là, pour l'amour du bon Dieu, Bartine ! Renifleux de caneçons ! C'est épouvantable ! Tu dois pas lire les mêmes livres que moi, certain !

ALBERTINE. Mes enfants se cachent pas en dessous des tables pour écouter ce que les grands disent, non plus !

NANA. Ça a rien à voir ! Comme si mes livres étaient responsables de toute ce qui va mal dans' maison ! Tu fesses n'importe où, toi, hein ? Y a pas moyen de discuter, avec toi, on sait jamais oùsque tu vas viser !

VICTOIRE. Bon, écoutez, c'est pas en se chicanant qu'on va régler le problème du cadeau de noces de Lise Allard !

ALBERTINE. Au moins, ça passe le temps ! Ça fait douze fois qu'on compte l'argent qu'on n'a pas !

NANA. Je vous l'avais dit, aussi, de pas attendre trop tard... Au début de la semaine, on aurait peut-être pu y acheter un cadeau qui aurait eu de l'allure, mais là... Qu'est-ce que vous avez fait de votre argent, pour l'amour du bon Dieu ! Vous en aviez, y me semble, tou'es deux, y a trois jours !

VICTOIRE. Pis toé, qu'est-ce que t'as faite de la tienne, ton argent ? Hein ? T'en avais pas, y a trois jours, toé tou ? Hein ?

NANA. En tout cas, j'en ai plus que vous autres à fournir !

VICTOIRE. Ben oui, un gros cinquante cennes ! On va faire quoi avec ça ? On va y donner dix palettes de chocolat pour son mariage ? Fais pas ta parfaite, là, Nana, pis trouve une solution ! C'est toé, la smatte de la famille, non ?

NANA. Trouvez-en donc une, vous, madame Tremblay, pour une fois !

VICTOIRE. Pour une fois ! J'ai élevé quatre s'enfants sans t'attendre, je te ferai remarquer ! Pis t'en as marié un ! Pis j't'entends pas te plaindre de lui souvent ! Pis j'en ai jamais trouvé un de caché en dessous de la table à écornifler ce que disaient les grandes personnes pour pouvoir aller tout bavasser partout, après !

NANA. Vous allez pas vous y mettre vous aussi ! Lâchez-lé un peu, c't'enfant-là ! Vous venez de dire à votre fille que c'était pas le temps !

VICTOIRE. C'est vrai. T'as raison. Comme d'habitude.

ALBERTINE. N'empêche que c'est vrai qu'à vous entendre parler, Nana, c'est vous la plus raisonnable de la famille… Ben prouvez-lé encore une fois, si vous êtes capable, moé chus t'épuisée. Pis de toute façon, chus juste l'épaisse, icitte. Trouvez comment nous sortir de ce pétrin-là, là, pis comme ça, moman va pouvoir continuer à faire votre éloge, comme d'habitude ! Elle a l'air de vous chicaner, comme ça, mais c'est juste un acte. Son admiration pour vous est sans borne ! Quand vous êtes là, a' vous chicane un peu, mais aussitôt que vous êtes partie, faut l'entendre ! Nana par ici, pis Nana par là, c'est juste si all' emporte pas un portrait de vous pour mettre à côté de ceux des saints, à l'église, le dimanche matin…

NANA. Pourquoi tu dis tout ça, tout d'un coup, donc, toi ?

VICTOIRE, *mal à l'aise.* Ben oui…

ALBERTINE. Parce que chus fatiquée. Parce que chus tannée de compter le même deux piasses et quart depuis des heures. Parce que je sais, Nana, que vous allez en trouver une solution pis que ça me fait chier d'avance ! J'vous vois déjà triompher pis ça m'écœure !

Nana pousse sa chaise, porte sa main à sa poitrine dans un grand geste dramatique et va se réfugier dans sa chambre.

VICTOIRE. Bon, t'es contente, là, tu l'as encore faite brailler.

ALBERTINE. Comment ça, encore ! Comme si je passais mon temps à la faire brailler !

VICTOIRE. Tu sais qu'est sensible, que la moindre petite affaire la bouleverse…

ALBERTINE. Ouan, pis moi je suppose que chus complètement insensible ! Qu'est-ce que vous pensez que ça me prend pour me bouleverser ? La peste ? La Troisième Guerre mondiale ? De toute façon, a' m'énerve assez quand a' fait sa martyre de même, elle ! Aussitôt qu'on lève un peu la voix, a' fait des grands yeux ronds, a' met sa main sur son cœur, pis on dirait qu'a' va monter directement au ciel ! Une deuxième Sainte Vierge ! De deux cents livres !

VICTOIRE. Bartine ! Est pas si grosse que ça !

ALBERTINE. Une chance, parce qu'y seraient obligés de la palanter pour la monter au ciel ! Y auraient besoin d'un ascenseur pour y faire faire son ascension !

Victoire montre le dessous de la table.

VICTOIRE. Fais attention à ce que tu dis...

ALBERTINE. Faut toujours faire attention à ce qu'on dit, ici dedans, le maudit petit espion est toujours là... Je l'adore, c't'enfant-là, chus sa marraine, mais je vous dis que des fois...

Elle se remet à compter l'argent.

ALBERTINE, *dépitée.* On pourrait se passer de roast beef, samedi soir, prendre c't'argent-là pour acheter un cadeau de mariage, pis manger des beurrées de moutarde en l'honneur de Lise Allard !

VICTOIRE. Voyons donc, un roast beef ça coûte quand même moins cher qu'un cadeau de mariage !

ALBERTINE. Ça paraît que ça fait longtemps que c'est pas vous qui payez le roast beef, moman ! J'vas vous montrer la facture, samedi, vous allez voir ! *(En plaisantant :)* Si ça continue comme ça, on va pouvoir donner des tranches de roast beef en cadeau de mariage, pis les mariés vont être ben contents !

Elle vérifie l'effet de sa plaisanterie sur sa mère. Celle-ci ne réagit pas.

ALBERTINE. Vous voyez, si c'est elle qui avait dit ça, vous seriez en train de rouler de rire sur le plancher de la salle à manger en disant arrête, arrête, tu vas me faire mourir !

VICTOIRE. Quand a' fait des farces, elle, sont drôles ! Pis que c'est ça, tout d'un coup, c'te crise de jalousie-là ? Qu'est-ce qui te prend, à soir ?

Albertine lui montre le dessous de la table.

ALBERTINE. Attention, la grande oreille est en train d'écrire son rapport de la soirée pour sa mère !

VICTOIRE, *haussant les épaules.* Y sait même pas écrire ! Y va pas encore à l'école !

Long silence.

Albertine dévisage sa mère.

ALBERTINE. Faut-tu vraiment que je vous explique que c'était une façon de parler ? Pis c'est pas une crise de jalousie que je fais, c'est de la révolte devant l'injustice !

Nana sort de sa chambre. Elle tient une énorme boîte de cinq livres de chocolats Lowney's.

ALBERTINE. Mon Dieu, all' a sorti sa boîte de cinq livres de chocolats Lowney's d'en dessous de son lit pis a' nous l'apporte ! C'est ben la première fois ! A' veut-tu se faire pardonner d'être si intelligente, coudonc ?

Nana pose la boîte de chocolats sur la table.

NANA. Servez-vous.

VICTOIRE. C'est ta boîte, Nana. Ta famille te l'a achetée pour toé toute seule, à la fête des mères…

NANA. Ben oui, mais là j'ai envie de la partager. J'ai souvent remarqué que le chocolat m'aide à réfléchir. Pis là, laissez-moi vous dire qu'on a besoin de réfléchir si on veut trouver une solution à soir ! En mâchant du chocolat à trois, on va peut-être finir par trouver que-qu'chose…

VICTOIRE, *la main sur le cœur, n'en revient pas.* T'es sûre, Nana ?

Nana pousse la boîte qui glisse jusque sous le coude d'Albertine.

NANA. Ben sûr que chus sûre ! On va se concentrer sur ce qu'on mange au lieu de se crier des bêtises, pis ça va nous aider à nous concentrer. Quand on a la bouche occupée, on se chicane pas. Bartine, y a un Bordeaux juste là, j'sais que tu les aimes…

Le narrateur sort de sous la table.

ALBERTINE. C'pas juste une oreille, c't'enfant-là, c'est tout un nez, aussi !

VICTOIRE. Bartine… s'il vous plaît…

Nana tend la boîte à Albertine.

NANA. Prends-en un, ça va te boucher, ça va t'empêcher de dire des niaiseries.

LE NARRATEUR. J'peux-tu en avoir un, moi aussi ?

ALBERTINE. Si on pouvait y en mettre une couple dans les oreilles…

NANA. Tiens, mon cœur, prends-en un aux cerises.

Le narrateur se sert.

NANA, *à Albertine qui a déjà avalé le sien.* Bartine ! J't'ai même pas vue le mâcher !

ALBERTINE. C'tait un centre mou, j'avais pas besoin de le mâcher longtemps… Juste l'écraser avec ma langue… Sont bons !

NANA. J'sais pas comment tu fais pour le savoir, chus sûre que t'as même pas eu le temps d'y goûter !

VICTOIRE. Maudit ! Y fallait que je tombe sur un centre dur ! C'est pas mâchable ! C'est du toffey ! J'ai toujours haï ça, le toffey, ça pogne partout entre les dents ! Hé, que chus pas chanceuse !

NANA. Mettez-lé dans le cendrier, madame Tremblay, j'vas vous en donner un autre… J'vas vous trouver un centre mou comme celui de Bartine… Mâchez-lé, par exemple…

VICTOIRE. T'es sûre ? C'est du gaspillage, du beau chocolat de même…

NANA. Ben non, mettez-lé dans le cendrier, là… T'nez, en v'là un aux cerises comme celui du petit…

LE NARRATEUR. C'est bon…

NANA. J'comprends que c'est bon. Mais essaye pas, t'en auras pas d'autres…

LE NARRATEUR. Pourquoi ?

NANA. Parce que je veux pas que tu soyes malade.

LE NARRATEUR. J's'rai pas malade…

NANA. Quand tu tombes dans le chocolat, t'es comme moi, t'as pus de volonté…

LE NARRATEUR. C'est quoi, la volonté ?

NANA. C'est quand on est pas capable de s'arrêter de manger du chocolat. T'en as pas. Pis moi non plus.

LE NARRATEUR. Ben oui, j'en ai…

Albertine pige un chocolat dans la boîte et le donne au petit.

ALBERTINE. Quand vous commencez à vous astiner avec lui comme ça, ça peut durer des heures... Tiens, prends ça, pis rentre dans ton trou ! Ça sent peut-être plus fort que tout à l'heure... tu vas ben aimer ça.

Le narrateur saute sur le chocolat et retourne sous la table. Les trois femmes mâchent pendant quelques secondes en se concentrant.

VICTOIRE. Écoute donc, chère tite-fille, j'pensais à ça, là, en mâchant... Des boîtes comme celle-là, t'en reçois quatre par année, si je me trompe pas, non ?

NANA. Ben oui... euh... à Noël, à Pâques, à la fête des mères, pis à ma fête, en septembre...

VICTOIRE. Pis c'est des cadeaux pour toi toute seule...

NANA. Ouan... J'les mets en dessous de mon lit, de mon côté, pis quand j'en ai envie, j'me penche pis j'me sers... Coudonc, ça veut dire quoi, c'te remarque-là ? Que j'vous en donne pas assez souvent ?

VICTOIRE. Non, non, c'est juste... As-tu déjà pensé que ça veut dire que tu manges vingt livres de chocolat par année à toé tu-seule, ça ?

Albertine éclate de rire.

ALBERTINE. Sans compter ce que vous mangez ailleurs quand on va en visite... Vous pouvez ben être corporante !

Nana avale son chocolat de travers et tousse dans son poing.

NANA. J'vous apporte ça pour qu'on réfléchisse ensemble, pis tout ce que vous trouvez à faire, c'est de me mettre mes vingt livres de chocolat annuel sus le nez ! C'est comme ça que vous me remerciez ? Vous êtes donc ben sans-cœur, tou'es deux ! Finissez-la donc au complet, la maudite boîte, pis laissez-moi donc tranquille ! Pensez-vous que j'ai envie d'entendre parler de ça à soir ? Si on pesait le nombre de livres de beurre que tu mets sur ton pain, le matin, dans une année, toi, Bartine, les cheveux nous redresseraient peut-être sur la tête ! Si t'es pas plus grosse, c'est juste parce que t'es un paquet de nerfs ! On calcule pas ces affaires-là comme ça, voyons donc ! *(À sa belle-mère:)* Pis vous, si on comptait le nombre de tranches de baloney que vous envalez dans une année en faisant semblant de chercher la pinte de lait dans la glacière, ça ferait combien de livres, vous pensez ?

Elle pousse sa chaise, porte la main à son cœur.

VICTOIRE. Ah, tu vas pas recommencer !

ALBERTINE. Vous allez pas encore retourner dans votre chambre !

VICTOIRE. On parle pour parler !

ALBERTINE. On dit n'importe quoi !

VICTOIRE. On parle pour passer le temps !

NANA. Ben, pendant ce temps-là, le temps passe, juste-ment, pis on réfléchit pas à notre problème ! *(Albertine étire la main vers la boîte de chocolats.)* Pas celui-là, c'est un centre dur.

ALBERTINE. Non, non, j'pense pas, j'pense qu'y est mou…

NANA. J'te dis qu'y' est dur…

ALBERTINE. On va ben voir.

Elle met le chocolat dans sa bouche.

NANA. Pis ?

ALBERTINE. M'as me casser les dents.

NANA. Tant pis pour toi. Finis-lé. Suce. Ça va t'occuper pour un bout de temps...

Elle va poser la boîte sur le vaisselier pendant que les deux autres font des airs entendus. Elle aperçoit quelque chose sur une des tablettes.

NANA. À moins que... J'ai peut-être une idée...

VICTOIRE, *visiblement soulagée.* De que c'est, donc ?

Elle ouvre le vaisselier et en sort un plat en verre de couleur verte.

VICTOIRE. Pas ton beau plat à pinottes !

ALBERTINE. Pas votre beau plat à pinottes !

Le narrateur sort la tête de sous la nappe qui recouvre la table.

LE NARRATEUR. Pas ton beau plat à pinottes !

ALBERTINE. Voyons donc ! C'est une des plus belles choses qu'on a dans' maison !

VICTOIRE. Tu l'aimes sans bon sens !

LE NARRATEUR. Tu le sors juste quand la visite vient !

NANA. Ben oui, mais y faut ben faire quequ'chose !

VICTOIRE. Pas un sacrifice comme ça ! Voyons donc !

ALBERTINE. Ça vaut pas la peine... Y sauront qu'on est pauvres, c'est toute ! Mais faut pas se priver pour eux autres !

Nana a apporté le plat qu'elle dépose sur la table.

NANA. C'est ma sœur Béa qui m'avait donné ça à mon mariage... Aïe, ça fait au-dessus de vingt ans... Pendant des années, ça a été la seule affaire de fantaisie que j'avais dans' maison... J'vous dis que j'en ai pris soin, de c'te plat-là !

ALBERTINE. Encore aujourd'hui... Cherchez pas dans ma vaisselle à moé, vous trouverez rien de beau de même...

VICTOIRE. Fais pas ça, Nana, on va trouver d'autre chose...

ALBERTINE. Moé, en tout cas, y a quequ'bibelots que ça me ferait rien de me débarrasser... La maudite catin en forme de poule pour mettre sur la théière que j'ai eue à Noël, par exemple...

VICTOIRE. Ben merci, c'est agréable de te faire des cadeaux, toé !

ALBERTINE, *haussant les épaules*. Mais pas ça !

LE NARRATEUR. Pas ça, moman !

NANA, *au petit*. Retourne donc rêvasser en dessous de la table, toi...

ALBERTINE. Rêvasser ?

Albertine est au bord de repartir la discussion mais s'arrête sous le regard sévère de sa mère. Le narrateur retourne sous la table.

VICTOIRE. Qu'est-ce que tu vas dire à Béa quand a' va venir en visite ?

NANA. J'trouverai quequ'chose dans le temps comme dans le temps... C'est pas ça qui est important, là...

VICTOIRE. Un beau plat comme ça, ça disparaît pas de même ! Pis ça paraît ! Si tu dis que tu l'as cassé au bout de vingt ans, chus pas sûre que Béa va te croire ! En tout cas, ça va faire tout un trou dans le *side board*, ça !

NANA, *n'écoutant pas ce que dit sa belle-mère*. Mais faudrait trouver une boîte pour le mettre dedans...

VICTOIRE. T'es sûre que tu veux faire ça, Nana ?

NANA, *ne l'écoutant toujours pas.* Ah ! Je pense que je l'ai…

Elle retourne au vaisselier, ouvre la porte du bas…

NANA. J'mets toutes ces affaires-là ici… Bon, y a encore quelqu'un qui a fouillé là-dedans…

Elle jette un regard en direction du dessous de la table, puis se remet à fouiller. Victoire a pris le plat dans ses mains.

VICTOIRE. Y en a vu, des générations de pinottes, ce plat-là… Pis tout le monde le trouve beau ! Après toutes ces années-là, tu te fais encore dire : Y est donc beau, ce plat-là, Nana… Même par ceux qui l'ont vu cent fois…

ALBERTINE. Faut dire aussi qu'y est pas tuable, ce maudit plat-là ! Le nombre de fois que je l'ai échappé, moé, c'est quasiment pas croyable…

Nana la regarde.

ALBERTINE. Je vous le disais pas toujours… S'y avait fallu que je me confesse à vous chaque fois que je l'ai échappé en le lavant, j's'rais morte étranglée depuis longtemps… Vous m'auriez pas laissé le temps de mettre mon deuxième enfant au monde, j'pense !

NANA. On restait pas ensemble quand ton deuxième enfant est venu au monde, Bartine !

ALBERTINE. Ah, j'ai failli le casser dans votre ancienne maison aussi ! Quand on faisait la vaisselle pis que je le voyais arriver, c'est juste si je faisais pas mon signe de croix ! Comme de faite, y m'échappait des mains une fois sur deux pis je vous voyais en train de m'étrangler… Pis la petite maudite cuiller en verre… je l'ai-tu haïe, la petite maudite cuiller en verre ! T'essayes de laver ça, ça te glisse entre les mains comme une barre de savon pis tu cours après comme une folle partout dans' cuisine…

VICTOIRE. Pis t'as réussi à jamais la casser…

ALBERTINE. J'avais pas envie de me retrouver couchée sur le dos dans une boîte en bois avec les mains croisées pis un chapelet tricoté dedans…

Nana rapporte une boîte vide d'une boutique nommée Le Petit Versailles.

NANA. Vous riez toujours de moi quand je garde les boîtes de cadeaux pis le papier d'emballage… T'nez, y est plein de beau papier de soie que je garde depuis des années… pis le plat rentre juste dedans ! J'vas y recoller ce chou-là, là, pis ça devrait être correct…

Nana emballe le plat dans du papier de soie, le pose dans la boîte et commence à attacher un ruban.

VICTOIRE. Tu mets pas du papier autour de la boîte ?

NANA, *perdant patience.* Aïe ! J'peux-tu travailler en paix, s'il vous plaît ? Hein ? Merci !

VICTOIRE. Correct, correct ! Je disais ça, moé… Y me semble que tant qu'à donner un cadeau, c't'aussi ben qu'y soye bien présenté, non ?

NANA. La boîte vient du Petit Versailles, madame Tremblay ! C'est plus chic pis plus beau que n'importe quel papier d'emballage qui coûterait les yeux de la tête ! Quand y vont voir ça, y en reviendront pas comme ça fait riche ! Y vont se dire : « Mon Dieu, un cadeau qui vient du Petit Versailles, y se sont garrochés pour nous autres, y sont généreux ! » Pis y vont quasiment être gênés de l'ouvrir ! T'nez, c'est pas beau, ce paquet-là ? R'gardez… *(Elle lit en pointant les mots du doigt.)* Le Pe-tit Ver-sail-les… Y a pas plus chic dans toute la ville de Montréal…

ALBERTINE. C'est où, ça, Le Pe-tit Ver-sail-les ?

NANA. Je le sais-tu, moi ? Ça doit être au moins à Westmount, certain !

ALBERTINE. Pis vous pensez qu'y vont penser qu'on est allés jusqu'à Westmount pour acheter un cadeau de mariage ?

NANA. J'me sacre de ce qu'y vont penser, d'abord qu'y vont être surpris quand y vont voir la boîte ! *(Elle dépose le cadeau au milieu de la table et le regarde.)* Y est de toute beauté, pis je veux pas entendre une seule autre remarque !

Le narrateur sort de dessous la table. Il regarde le cadeau.

LE NARRATEUR. Dans quoi on va mettre nos pinottes, à c't'heure ?

NANA. J'en achèterai un autre qui coûte moins cher, c'est toute... Avec l'argent du cadeau... De toute façon, c'est pas le plat qui compte, après toute, c'est les pinottes ! Je payerai plus cher pour les pinottes, comme ça le monde vont moins regarder le plat !

ALBERTINE. Vous avez pas toujours dit ça !

NANA. Ben non, mais là je le dis ! Parce que chus t'obligée ! Parce qu'on n'a pas été assez intelligentes pour ramasser notre argent ! Parce qu'on n'a pas été assez prévoyantes !

ALBERTINE. Bon, le martyre qui recommence...

NANA. J'fais pas ma martyre, je réponds juste à une autre de tes niaiseries !

ALBERTINE. C'est ça, on revient toujours à ça. Quand j'ouvre la boîte, moé, on sait ben...

VICTOIRE, *la coupant pour faire dévier la conversation.* Mais veux-tu ben me dire oùsque t'as pris ça, c'te belle boîte-là qu'on sait pas d'où a' vient, Nana ? Y me semble que je l'avais jamais vue ! T'as déjà reçu un cadeau qui venait du Petit Versailles, toé ? Y me semble que je m'en rappellerais... Les seules boîtes qu'on voit passer ici-dedans sont marquées L. N. Messier ou ben donc Laura Secord...

ALBERTINE. Ou ben donc Lowney's...

Nana hésite un peu avant de répondre.

NANA. Ben, c'est-à-dire que... J'ai été acheter des caneçons chez Shiller's, une fois, pis y avait c'te boîte-là qui traînait derrière le comptoir... Je l'ai trouvée ben belle... J'ai tu-suite compris qu'a' pourrait me servir, un jour, pis j'ai demandé à la vendeuse de mettre les caneçons dedans... Pis vous voyez, j'avais raison de la vouloir, aujourd'hui a' nous sauve quasiment la vie...

Elle serre la boîte contre elle sans rien dire, soupire. Les autres n'osent pas parler.

NANA, *à son fils.* J'me sépare de deux affaires précieuses en même temps...

Albertine lève les yeux au ciel.

NANA. Michel... Viens ici...

Il s'approche d'elle.

NANA. T'arrives d'en dessous de la table... Tes mains sont-tu sales ?

LE NARATEUR. Ben non... J'pense pas...

NANA. T'as mangé du chocolat, aussi... Montre-moi tes mains...

Il les lui montre. Elle prend un bout de son tablier et les essuie.

NANA. On va dire que ça va faire...

Elle lui replace les cheveux du mieux qu'elle peut.

NANA. Écoute-moi ben. Pis fais exactement c'que je te dis… Sinon, t'auras pus de mains pour manger du chocolat !

Il baisse la tête.

NANA. R'garde-moi !

Il relève la tête.

NANA. Pis écoute. Tu vas prendre la boîte, tu vas traverser la rue, pis tu vas aller porter ça chez les Allard…

LE NARRATEUR. Ah, moman…

NANA. Y a pas de « ah, moman » ! Tu vas descendre l'escalier, tu vas traverser la rue, tu vas sonner, pis tu vas attendre qu'on vienne te répondre… Rentre pas dans c'te maison-là, m'entends-tu, attends qu'y viennent te répondre ! M'as-tu compris ?

LE NARRATEUR. Ben oui ! Chus pas sourd !

NANA . Réponds-moi pas comme ça, j'vas te donner une claque chinoise pis tu vas rester empesé pour le reste de la soirée ! Bon ! Quand y vont venir te répondre… Écoute-moi ben, là… J'sais que tu les aimes beaucoup, les Allard, pis que t'adores ça aller traîner chez eux, mais à soir tu vas rester sur le balcon ! As-tu compris ? Tu restes pas là, tu reviens tu-suite ! Quand y vont t'ouvrir la porte, tu vas te redresser, le dos bien droit, pis tu vas dire, très fort : « Un cadeau de mariage pour mademoiselle Lise Allard ! » Tu vas dire ça exactement comme ça, en prononçant bien chaque syllabe : « Un cadeau de mariage pour mademoiselle Lise Allard ! » Quand tu vas leur avoir donné le cadeau, tu vas te retourner, pis tu vas revenir ici au plus sacrant ! Pis si y te demandent pour rentrer, tu vas leur répondre : « La femme qui donne le cadeau fait dire qu'a' veut pas que je reste ! »

LE NARRATEUR. Ah, moman ! C'est gênant !

NANA. « La femme qui donne le cadeau fait dire qu'a' veut pas que je reste ! »

ALBERTINE. Y vont savoir que ça vient de nous autres, Nana !

NANA. Je le sais ! Mais… je sais pas… Ça va faire plus cute… pis plus… je sais pas… plus officiel…

VICTOIRE. Surtout qu'on n'a pas de carte pour mettre dedans.

NANA, *perdant une fois de plus patience.* Aïe ! Si vous avez une meilleure idée, là, vous autres, sortez-la donc ! Sinon, fermez-vous !

Elles baissent la tête, détournent les yeux.

NANA, *revenant à son fils.* Si t'oublies rien de ce que je t'ai dit, si tu fais tout ça ben comme y faut, tu vas avoir droit à une couple de chocolats de plus, en revenant… Sinon, avise-toi pas de revenir coucher ici… *(Devant le regard effaré de son enfant :)* Ben non, voyons, c't'une farce que je fais… Tu sais ben que moman exagère quand a' parle. Si tu fais pas ça comme y faut, tu peux revenir coucher ici… mais laisse-moi te dire que les fesses vont te chauffer pour une partie de la nuit…

Elle rit pour alléger l'atmosphère, mais le narrateur baisse la tête.

NANA. Ah ! voyons donc ! Ça va être le fun ! T'aimes ça faire le petit monsieur ! Y vont trouver ça cute ! Pis demain, quand tu vas y retourner, y vont… Je sais pas, moi, y te bourrent de tellement d'affaires quand tu vas là qu'on dirait qu'y pensent que je te nourris pas !

LE NARRATEUR. Y me laissent licher les batteurs, eux autres !

NANA. Ouan, pis t'as mal au cœur quand tu reviens ici, aussi ! Depuis le temps que j'veux aller leur en parler… en tout cas… En attendant, fais comme j'te dis.

Elle lui reprend la boîte des mains.

NANA. Ah, pis va te laver les mains, avant, j'veux pas prendre de chance…

Il sort.

ALBERTINE. C'est drôle, hein, je sens comme un drame qui s'annonce…

VICTOIRE. T'es trop défaitiste, Bartine…

ALBERTINE. Au contraire, je le suis pas assez… Vous saurez me le dire…

Victoire lui montre Nana qui serre la boîte contre elle.

VICTOIRE. Y est encore temps de changer d'idée, tu sais, Nana…

ALBERTINE. J'pourrais sacrifier ma catin de théière en forme de poule sans problème…

NANA. Non, non, c'est correct… Mon idée est faite… Ma décision est prise… J'peux pus reculer…

Elle soupire.

VICTOIRE. Mais c'est pas l'envie qui manque…

NANA. Mais c'est pas l'envie qui manque…

Le narrateur revient.

NANA. T'es-tu essuyé comme y faut ?

LE NARRATEUR. Ben oui…

NANA. J'ai pas envie qu'y aye des taches de mains grasses sur la boîte… Déjà qu'est pas mal vieille…

VICTOIRE. Nana, donnes-y la maudite boîte qu'y aille la porter ! Sinon on va encore être là demain soir, à discuter !

NANA. Vous avez raison… Va, mon cœur… Pis oublie pas…

LE NARRATEUR. Ben non, ben non… « Un cadeau de mariage pour mademoiselle Lise Allard… »

NANA. Surtout que c'est une des dernières fois qu'a' se fait appeler mademoiselle…

Le narrateur sort. Nana porte sa main à sa poitrine.

NANA. Mon Dieu ! J'espère que ça va ben aller…

ALBERTINE. On gage-tu ?

NANA. T'avais pas d'argent pour fournir pour le cadeau, mais t'en as pour gager ?

ALBERTINE. J'en ai pas ! Mais je risquerais rien, je serais sûre de gagner !

Nana regarde en direction de la porte.

NANA. J'aurais pas dû y demander ça, je le sens.

Elle se dirige vers la porte de l'appartement. L'éclairage baisse sur la salle à manger et se lève sur le balcon de la maison des Allard. Le narrateur sonne. Lise Allard elle-même vient ouvrir.

LISE. Ah, c'est toi, Michel… Entre…

Il reste figé sur place.

LISE. Entre… T'as pas l'habitude d'être gêné comme ça quand tu viens nous voir…

LE NARRATEUR, *trop fort et faux.* Un ca-deau pour ma-de-moi-selle Lise Al-lard !

Il tend les bras.

LISE. Ah, c'est pour moi ! C'est mon cadeau de mariage ! Rentre, on va l'ouvrir !

LE NARRATEUR, *même ton.* La femme qui m'envoie fait dire qu'a' veut pas que je reste !

Lise rit.

LISE. Ah, je comprends… Ben, dis-y merci de ma part…

LE NARRATEUR. Les autres non plus…

LISE. Quoi, les autres non plus…

LE NARRATEUR. Les autres femmes qui m'envoient…

LISE. Ah, ta tante pis ta grand-mère…

LE NARRATEUR. Les autres femmes qui m'envoient…

NANA, *qui guette de l'autre côté de la rue.* Qu'est-ce qu'y fait, planté là ?

LISE. T'aurais envie de rentrer, mais y veulent pas, c'est ça ?

NANA, *entre ses dents.* Viens-t'en ! Viens-t'en !

LE NARRATEUR, *toujours aussi faux.* La femme qui donne le cadeau fait dire qu'a' veut pas que je reste !

NANA. Vas-tu la retraverser, la maudite rue !

LISE. Ben, regarde ce qu'on va faire… Pour que t'assistes au déballage de la boîte, j'vas faire ça ici, sur le balcon, devant toi…..

Elle commence à déballer le cadeau…

NANA. Qu'est-ce qu'a' fait là, elle ? Y fait trop noir, a' verra pas que ça vient du Petit Versailles ! A' verra même pas le cadeau ! Bon, j'ai tout fait ça pour rien ! J'me sus dépouillée pour rien ! J'ai sacrifié ce que j'avais de plus beau dans' maison pour rien !

Lise Allard sort le plat et dépose la boîte par terre pour mieux le regarder.

NANA. Bon ! A' met la boîte à terre ! A' va piler dessus ! Dans deux secondes, ma belle boîte existera pus !

Lise Allard lève le plat devant ses yeux.

LISE. Ah, le beau moutardier !

NANA. Réponds pas à ça ! Réponds pas !

LE NARRATEUR. C'est pas un moutardier ! Chez nous, on s'en servait pour mettre les pinottes !

NANA. M'as mourir ! M'as mourir de honte ! Là, tu-suite, sur le balcon de ma propre maison, m'as rendre l'âme !

Le narrateur réalise ce qu'il vient de dire et se met à tituber…

LE NARRATEUR. Ben… euh… c'est-à-dire…

LISE. Non, non, c'est correct… Perds pas sans connaissance… c'est pas grave… C'est un beau plat de pinottes, Michel… C'est un ben beau plat de pinottes… *(Elle lève la tête en direction de Nana, qu'elle devine sur le balcon, de l'autre côté de la rue.)* Merci, madame Tremblay, c'est un magnifique cadeau.

Le narateur, piteux, se retourne.

LISE. Va retrouver ta mère… Pis dis-y à quel point j'ai trouvé son cadeau beau.

Elle referme la porte en laissant la boîte sur le balcon.

NANA. En plus, a' saura jamais que la boîte, au moins, venait du Petit Versailles pour vrai !

Le narrateur revient vers sa mère à petits pas traînants.

LE NARRATEUR. J'ai pas faite exiprès, moman, c'est sorti tu-seul…

NANA. Je le sais ben…

LE NARRATEUR. Vas-tu me donner une claque chinoise ?

NANA. Ben non. C'est pas de ta faute. C't'à moi que je devrais en donner une, une claque chinoise… C'est vrai que j'me trouve toujours plus raisonnable que les autres… pis tu vois… c'est ça qui arrive quand on se trouve trop smatte pis qu'on réfléchit pas…

LE NARRATEUR. Que c'est que t'aurais dû faire, d'abord ?

NANA. Pas me lever, à matin ! Me pencher en dessous de mon lit pis me concentrer sur mes cinq livres de chocolat. C'est ce que je fais le mieux, ça a l'air…

Elle le prend par la main et le ramène dans la salle à manger désormais vide. Elle le fait asseoir sur une chaise.

NANA. T'as tout écouté, tout à l'heure, hein ?

LE NARRATEUR. En tout cas, j'entendais…

NANA. T'écoutais. J't'ai déjà dit de pas me mentir parce qu'une mère ça devine toute…

LE NARRATEUR. O.K… J'écoutais…

NANA. Tu vois, la pauvreté pis l'orgueil, ça va pas ensemble, ça a l'air… Pourtant, des fois j'ai l'impression que c'est tout ce qui nous reste, l'orgueil…

LE NARRATEUR. C'est quoi, ça, l'orgueil ?

NANA. Faudrait que je lise le dictionnaire Larousse au grand complet tou'es matins avant de me lever pour répondre à tes questions, toi…

LE NARRATEUR. Tu dis toujours ça... Pis je sais même pas c'est quoi, le dictionnaire Larousse...

NANA. C'est le gros livre, là, qu'on est obligé d'aller consulter quand tu nous rends fous avec tes questions...

LE NARRATEUR. Le livre à grand-moman ?

NANA. Non, non, ça c'est un vieux dictionnaire médical... Chaque fois que ta grand-mère entend parler d'une maladie, à la radio, a' pense qu'all' l'a pis on est obligés d'aller voir dans le dictionnaire pour y prouver qu'est en santé... Non, non, le dictionnaire Larousse c'est le gros livre que ton frère Coco traîne partout...

LE NARRATEUR. Celui avec tous les mots dedans ?

NANA. Ouan, c'est ça.

LE NARRATEUR. J'ai assez hâte de pouvoir le lire...

NANA. Nous autres aussi... Pour en revenir à l'orgueil... Écoute... Tu viens d'avoir six ans, tu vas aller à l'école en septembre... Tu vas vite te rendre compte que... je sais pas comment t'expliquer ça... Tu vas t'apercevoir qu'y a du monde qui ont ben des affaires, pis d'autres qui en ont moins ou ben pas pantoute...

LE NARRATEUR. Ben oui, je le sais ça, les riches pis les pauvres...

NANA. Ouan, les riches pis les pauvres... Pis ceux qui sont pauvres, comme nous autres... des fois y aiment pas ça que ça paraisse... y veulent pas que tout le monde le sache... y font toute pour le cacher...

LE NARRATEUR. C'est ça que tu disais, tout à l'heure...

NANA. Ouan... C'est ça que je dis souvent, ces temps-ci... Ben c'est ça, l'orgueil, pas vouloir que les autres sachent que t'es pauvre... Pour pas qu'y rient de toi... Ou parce que t'as honte… C'est ben d'autres choses, aussi, mais ça va être toute pour à soir…

LE NARRATEUR. J's'rai pas puni pantoute ?

NANA. Si tu vois madame Allard pis ses filles rire quand on va passer devant chez eux pour aller à la messe, dimanche prochain, dis-toi ben que c'est moi qui vas être punie…

LE NARRATEUR. Y riront pas…

NANA. Quoi ?

LE NARRATEUR. Madame Allard pis ses filles… Y riront pas.

NANA. Non ?

LE NARRATEUR. Non.

NANA. Pourquoi ?

LE NARRATEUR. Parce que c'est pas drôle.

Court silence. Nana soupire.

NANA. C'est pas drôle pour nous autres, mais c'est peut-être drôle pour eux autres…

LE NARRATEUR. C'pas juste.

NANA. Ben non, c'est pas juste… Écoute… imagine qu'on passe devant eux autres pis qu'y rient… T'es capable ?

LE NARRATEUR. Oui, oui…

NANA. Comment tu te sens ?

LE NARRATEUR. J'me sens mal. J'ai honte… Pis j'haïs ben ça…

NANA. Ben c'est c'te honte-là qui te prouve que t'as de l'orgueil, mon petit gars… Bon, viens te coucher, à c't'heure…

LE NARRATEUR. Pis je suppose que j'ai pas droit à ma couple de chocolats non plus ?

NANA. T'as certainement pas le droit à ta couple de chocolats non plus…

Ils se dirigent vers la chambre, main dans la main. Le narrateur revient.

LE NARRATEUR. Quelques jours plus tard, ma mère a reçu un court billet de remerciement de la part de Lise Allard : « Mille fois merci à tout le monde pour le si joli plat à cacahuètes. Nous penserons à vous chaque fois que nous nous en servirons. »

Nana revient.

NANA. Y vont rire de nous autres chaque fois qu'y vont s'en servir, oui… Tu le savais pas, mon pauvre tit-gars, mais tu viens de partir une légende qu'y vont se conter pendant des générations… Ce plat-là va être célèbre dans la famille Allard jusqu'à la fin des siècles ! *(Elle se mouche, se tamponne les yeux).* De toute façon, si est assez snob pour appeler des pinottes des cacahuètes, a' méritait pas mieux !

Elle sort.

VICTOIRE, *de la coulisse.* Bon, y a encore un orage qui se prépare pour c'te nuitte ! On va encore passer une grande nuit blanche !

LE NARRATEUR. Ma grand-mère n'a jamais aimé les orages.

Victoire revient, vêtue d'une robe de nuit.

VICTOIRE. J'ai pas jamais aimé ça, j'ai toujours HAÏ ça, les orages !

LE NARRATEUR. Pourquoi, grand-moman ?

VICTOIRE. Je sais pas. Je suppose que c'est parce que c'est ce que j'ai connu qui se rapprochait le plus de la mort...

LE NARRATEUR. La mort, c'est quand on s'en va pour toujours, hein ?

VICTOIRE. C'est ta mère qui t'a dit ça ?

LE NARRATEUR. Oui. Elle a dit que c'était comme quand on a retrouvé Tit-Pit dans le fond de sa cage...

VICTOIRE. Ça prend ben elle, ça, choisir la mort d'un serin comme exemple pour expliquer la mort à son enfant !

LE NARRATEUR. C'est pas vrai ?

VICTOIRE. Ben oui, ben oui, c'est vrai.

LE NARRATEUR. Mais pourquoi tu dis que les orages ça te fait penser à ça ?

VICTOIRE. Parce que au milieu des orages, y a du feu, pis que le feu me fait toujours penser à la mort.

LE NARRATEUR. T'as peur d'aller en enfer ?

Victoire regarde le narrateur.

VICTOIRE. J'espère que ta mère t'a pas dit que mon Tit-Pit risquait d'aller en enfer, toujours !

LE NARRATEUR. Ben non...

VICTOIRE. A' serait ben capable... En tout cas... Un orage, ça mouille toute trop vite, ça peut tuer des récoltes dans le temps de le dire, ça fait du train, pis... y a la sautadite de boule de feu qui risque toujours de nous tomber dessus...

LE NARRATEUR. Ah oui, ah oui, conte-moi l'histoire de la boule de feu...

VICTOIRE. T'aimes ça quand on te conte des histoires de peur, hein ?

LE NARRATEUR. A' me fait pas peur, celle-là, a' me fait rire !

VICTOIRE. Ben, laisse-moé te dire que si t'avais été là, t'aurais pas ri, cher tit-gars… Pis si tu ris, c'est parce que je rends ça drôle… Écoute… Ça faisait pas longtemps que j'étais mariée quand ça s'est passé… On venait de s'installer à Montréal. J'étais pas encore tout à fait habituée à la grande ville, tu comprends…

Le narrateur fait un grand sourire et s'installe pour écouter le récit.

LE NARRATEUR. T'étais après faire ton repassage…

VICTOIRE. C'est ça. Mais interromps-moi pas pendant que je parle, ça me déconcentre… J'avais mis mes trois fers à repasser sur le poêle… J'en avais eu trois en cadeau de noces pis c'était ben commode… Comme ça, quand y en avait un qui refroidissait, y m'en restait toujours deux chauds… On avait pas de fers à repasser électriques, dans ce temps-là, on avait pas juste à ploguer les affaires dans le mur pour qu'y s'allument ou ben qu'y se chauffent comme par miracle ! J'te dis que les femmes d'aujourd'hui, y le savent pas comment c'qu'y sont gâtées… En tout cas. J'étais en train de repasser une chemise de ton grand-père… J'étais rendue au col… Faut faire attention avec le col, y faut pas le manquer, y faut qu'y soit parfait, c'est ça que le monde regarde en premier… J'étais tellement concentrée sur mon col que j'avais oublié de fermer la porte d'en avant pis celle d'en arrière qui étaient vis-à-vis… À' campagne, j'y pensais automatiquement, mais icitte, en ville, j'avais pas encore vu de gros orages électriques… Je savais qu'y avait un orage qui s'en venait, c'tait noir comme le yable, dehors, en plein milieu de l'après-midi, pis c'était pésant, pis c'était humide… Je le savais, pourtant… Mais qu'est-ce tu veux, j'étais trop concentrée sur mon col, faut croire. Ou ben j'pensais que ça existait pas, en ville, des gros orages… Juste à' campagne… Tout d'un coup… Tout d'un coup… T'avais hâte que j'arrive là, hein ?

LE NARRATEUR. Oui, oui, oui… Pis tout d'un coup…

VICTOIRE. Tout d'un coup, mon p'tit gars…

Le narrateur sourit, ravi.

VICTOIRE. Kababoum ! Kabow ! Kababow ! *(À Michel:)* C'tait-tu assez fort ?

LE NARRATEUR. Non. Plus fort…

VICTOIRE. KABABOUM ! KABOW ! KABABOW ! J't'ai faite un de ces sauts, mon petit gars… Le cœur m'est monté dans' gorge pendant que l'estomac me tombait dans les pieds, j'ai failli me brûler avec le fer…

LE NARRATEUR. C'est nouveau, ça…

VICTOIRE. Hein ?

LE NARRATEUR. Le fer. C'est nouveau, ça…

VICTOIRE. Aïe, c'est-tu une histoire que tu veux, ou ben la vérité ?

LE NARRATEUR. Ben… les deux.

VICTOIRE. Ça se peut pas, les deux. Pas si tu veux que ça soye intéressant. Ça fait que choisis…

LE NARRATEUR. O.K., d'abord, l'histoire…

VICTOIRE. Tu vois comment c'que t'es ? Tu m'as tellement interrompue, là, que t'auras pas peur pis que tu riras pas non plus…

LE NARRATEUR. C'est vrai que j'aurai pas peur… mais j'vas rire, j'te le promets !

Victoire se lance dans une pantomime qui fait le bonheur de son petit-fils.

VICTOIRE. Là, là… J'ai juste eu le temps de tourner la tête… pis j'ai vu… j'ai vu… une boule de feu grosse comme le sofa du salon pis rouge comme le fin fond du poêle en plein mois de janvier rentrer par la porte d'en avant, traverser toute la maison, toute la maison, cher tit-gars, en brûlant toute sur son passage, pis sortir par la porte d'en arrière comme si all' avait vu tout c'qu'a voulait voir ! Ça a pas pris deux secondes, j'pense, mais c'est les deux secondes les plus longues de toute mon existence ! Là, j'ai couru fermer les deux portes avant qu'a' revienne… Je sais pas comment j'ai faite… Aïe, j'avais le poil drette sur les bras pis mes cheveux avaient frisé comme si y avaient passé la nuitte sur les guénilles !

Le narrateur rit.

VICTOIRE. Bon ! Seigneur ! J'ai réussi ! Ça se peut-tu ! Aïe, y avait une traînée noire sur le plancher comme si un fer à repasser de trois cents livres avait été oublié au beau milieu de la maison ! Une brûlure de fer à repasser grosse comme une maison ! J'ai rasé la mort de proche, c'te fois-là, cher tit-gars, pis depuis ce temps-là, chaque fois qu'y a un orage qui se prépare je sors mon rameau bénit, mon eau bénite, mon chapelet bénit, pis je m'enferme dans le garde-robe !

LE NARRATEUR. Ça aussi, ça me fait rire…

VICTOIRE. Quoi, donc ?

LE NARRATEUR. Quand vous vous enfermez dans les garde-robes, toi, moman, pis ma tante Albertine…

VICTOIRE. Si la boule de feu rentre dans maison, a' viendra quand même pas cogner à la porte du garde-robe de ma chambre ! Ça fait que chus en sécurité !

LE NARRATEUR. Popa, y dit que vous actez, toutes les trois… que vous exagérez… que vous avez pas si peur que ça, au fond…

VICTOIRE. Ton père, c'est peut-être mon garçon, mais laisse-moi te dire qu'y manque souvent de jarnigoine.

LE NARRATEUR. C'est quoi, ça, la jarnigoine ?

VICTOIRE. C'est ce que t'as entre les deux oreilles… *(Avec un sourire en coin.)* Pis ton père, des fois, entre les deux oreilles y a un graaaaand vide ! Bon, va te coucher, à c't'heure, que je prépare mon rameau pis mon eau bénite…

LE NARRATEUR. Mais tu m'as pas expliqué c'est quoi, la mort… Quand on part, c'est pour aller où ? L'enfer, le ciel, tout ça, j'comprends pas…

VICTOIRE. T'es t'encore trop petit pour qu'on te parle de ces affaires-là… Parce que ça, ça pourrait te faire peur pour vrai… Disons… disons que ma valise est prête depuis un bon bout de temps pis que quand va venir le temps de partir…

LE NARRATEUR. J'vas souvent dans ton garde-robe… Y a pas de valise…

VICTOIRE. C't'une façon de parler. Tit-Pit non plus y avait pas de valise… Pis veux-tu ben me dire ce que tu vas faire dans mon garde-robe, toi ?

LE NARRATEUR. Des fois, je joue aux orages électriques pis j'vas me cacher là…

VICTOIRE. J'espère au moins que tu te sers pas de mon beau rameau bénit !

Le narrateur baisse la tête.

VICTOIRE. J'connais une boule de feu qui pourrait très bien te trouver jusqu'au fond du garde-robe, mon petit gars. Une boule de feu avec une robe noire pis les cheveux gris… Pis c'est pas les cheveux que t'aurais de frisés, c'est les fesses ! Tu serais obligé de coucher à plein ventre pendant des jours, pis manger deboute à côté de la table !

LE NARRATEUR, *pour détourner la conversation.* Si t'as pas de valise pour partir, grand-moman, ça veut dire que tu t'en vas pas loin ?

VICTOIRE. En tout cas, tout ce que je sais, c'est que c'est pas loin dans le temps…

LE NARRATEUR. Ça veut dire quoi, ça ?

VICTOIRE, *après un moment de réflexion.* Ça veut dire qu'un bon jour, peut-être ben vite, tu vas te réveiller pis tu vas apprendre que grand-moman est pus là, que grand-moman est partie… Ça va te faire de la peine, c'est sûr, mais je voudrais pas que ça te bâdre trop… Quand ça va arriver… Quand ça va arriver, j'te donne la permission de pleurer un peu, c'est sûr, mais pas trop… Dis-toé que grand-moman est partie pas loin, qu'all' avait pas besoin de valise, pis que là oùsqu'est rendue, est enfin heureuse…

LE NARRATEUR. Pourquoi enfin ? T'es pas heureuse, avec nous autres ?

Elle s'approche de lui, lui passe une main sur le visage.

VICTOIRE. Dans ben longtemps, quand tu vas être plus vieux, tu vas peut-être apprendre des choses sur ta grand-mère qui pourraient te choquer. Mais dis-toé que le peu de temps que ça a duré, ta grand-mère a été ben heureuse… Pis qu'y a pas de prix assez élevé pour payer un bonheur comme celui-là…

LE NARRATEUR. J'comprends pas…

VICTOIRE. Je le sais. Pis je devrais peut-être pas tout te dire ça aujourd'hui, mais… *(Elle approche son visage du sien.)* Ça se pourrait que je m'en aille plus vite qu'on pense, pis je voudrais pas que ça te prenne par surprise… C'est pas grave de s'en aller oùsqu'on n'a pas besoin de valise pour aller quand on est prêt… Pis grand-moman est prête depuis un bon bout de temps… Dis-toé ben ça quand tu vas apprendre que chus pus là.

Nana entre, elle aussi en robe de nuit.

NANA. Franchement, madame Tremblay ! Faire peur à un enfant comme ça juste avant que je le couche ! À votre âge ! On dirait une enfant d'école ! Des fois, j'ai l'impression que vous êtes plus jeune que lui ! C'est moi qui vas être obligée de le désénerver, encore !

VICTOIRE. Y a rien que c't'enfant-là aime plus que d'avoir peur ! De toute façon, c'est lui qui me l'a demandé !

NANA. Y vous a demandé d'y faire peur !

VICTOIRE. Ben oui.

NANA, *à son fils.* Tu y as demandé de te faire peur.

LE NARRATEUR. Ben oui…

NANA, *en sortant.* Ben coudonc, vous le coucherez, moi j'm'en mêle pas… C'est ben simple, moi, des fois…

VICTOIRE, *fort, pour que Nana l'entende.* On est supposé de vivre dans un pays tempéré, mais j'vous dis que les caractères sont comme la température, excessifs ! *(À Michel :)* C'est vrai, ça. M'as leur en faire, un pays tempéré, moé… J'lisais encore ça, à matin, dans le journal… On est chanceux de vivre dans un pays tempéré ! Tempéré ! Franchement ! L'hiver y fait trop frette, l'été y fait trop chaud… L'hiver est trop longue, l'été est trop courte, le printemps est plein de bouette pis l'automne est déprimante… Ben moé, j'me contenterais du mois de mai ou ben du mois de septembre à l'année, si tu veux savoir ! Y paraît qu'au Paradis terrestre, là, c'était le mois de septembre à l'année, t'sais ! Y avait tout le temps des fruits, pis tout le temps des légumes. Y pouvaient manger du blé d'Inde pis des betteraves chaudes avec du beurre à l'année, penses-y ! Adam et Ève pouvaient manger du frais à l'année, les chanceux ! C'tait toujours le temps des pommes… Pis c'est ça qui les a perdus, c'est ben pour dire, hein ? *(Elle rit de sa plaisanterie, mais Michel ne la comprend pas.)* Nous autres, on vient folles pis on se garroche comme des perdues pour faire du manger pour le reste de l'hiver pendant les trois semaines qu'y a des légumes pis des fruits ! Ça sent le ketchup pis le chow-chow ! Ça sent tellement bon que les larmes nous montent aux yeux ! Pis je voudrais que ça sente ça à l'année ! Non, icitte, malheureusement, le mois de septembre dure juste quatre semaines. Ça me fait penser que ta mère, là, comme est venue au monde un 2 septembre, ça veut dire que le jour de sa naissance, y faisait la même température qu'au Paradis terrestre ! J'avais jamais pensé à ça ! Chanceuse !

LE NARRATEUR, *étonné.* Hein !

NANA, *restée tout près pour écouter.* Madame Tremblay ! Franchement ! Vous lisez trop pour croire des niaiseries pareilles ! Pis mettez-y pas des affaires de même dans' tête, y serait capable de vous croire ! D'abord, là, qui c'est qui est allé tchéker ça, hein ? Y avait-tu un météorologue au Paradis terrestre, coudonc ? C'est-tu écrit dans' Bible ? « Dieu inventa le mois de septembre et vit que c'était bon » ? Vous êtes trop intelligente pour croire ça !

VICTOIRE. De toute façon, on n'a pas le droit de lire la Bible ! Ça fait que je peux même pas aller véri-fier ! Y paraît que c'est écrit dans un langage qu'on comprendrait pas…

NANA. Une chance, parce que vous en auriez long à nous conter ! Déjà que juste avec l'Ancien Testament, vous nous en sortez des pas mal bonnes...

VICTOIRE, *la coupant.* De toute façon, chus comme toé, chère tite-fille ! J'cré ce qui fait mon affaire !

NANA. Mais c'pas nécessaire de mettre ça dans la tête des enfants !

Victoire s'approche de Nana en la regardant dans les yeux.

VICTOIRE. Le jour où tu pourras me prouver que t'as jamais rien mis dans la tête de c't'enfant-là, toé, j'te ferai des excuses, pas avant !

Grand coup de tonnerre. La pluie se met à tomber. La lumière s'éteint.

VICTOIRE. Mon Dieu, l'orage !

NANA. Fermez les châssis, tout le monde !

ALBERTINE, *de la coulisse.* C'est la fin du monde !

Tonnerre. Pluie.

NANA. J'ai jamais entendu une affaire de même !

ALBERTINE, *de la coulisse.* Mon lit est déjà toute mouillé !

NANA. Exagèrez pas ! Y vient juste de commencer à pleuvoir !

Éclair.
Tonnerre.
Albertine arrive, elle aussi en robe de nuit.

ALBERTINE. Avez-vous vu ça ? On arait dit que quelqu'un prenait des portraits ! Pis moman a disparu ! Est pas dans son garde-robe !

VICTOIRE, *qui fouillait dans une armoire.* Chus t'icitte, Bartine, j'tais venue chercher mes affaires bénites... T'nez, allumez-vous des cierges, tou'es deux, pis rentrez chacune dans votre garde-robe avec un boute de rameau... Pis emmenez les enfants avec vous autres... Mais mettez pas le feu à la maison, là...

Pendant le pandémonium, Gabriel est entré et s'est assis dans la chaise berçante de sa mère. Les trois femmes sortent sous le tonnerre et les éclairs.

ALBERTINE, *de la coulisse.* J'vas aller m'enfermer avec vous, moman, j'ai trop peur !

VICTOIRE. Le garde-robe est trop petit...

ALBERTINE. On va se tasser...

VICTOIRE. J't'ai dit d'aller t'enfermer avec tes enfants, toé !

Gabriel sourit. Le narrateur s'approche de lui.

GABRIEL. Hé, qu'y aiment ça se faire des drames !

ALBERTINE. Si la boule de feu passe dans' maison, a' va rester enfermée pis a' va nous tuer, tout est fermé, a' pourra pus sortir !

VICTOIRE. Si tout est fermé, a' pourra pas entrer, insignifiante ! Farme-toé donc !

NANA, *revenant de leur chambre.* Va donc vérifier si tout est correct dans le reste de la maison, Gabriel, moi je rentre dans le garde-robe...

ALBERTINE. J'ai échappé ma chandelle dans mon lit ! J'ai échappé ma chandelle dans mon lit ! Ah non, la v'là. Ma chandelle est éteinte ! Ma chandelle est éteinte !

LE NARRATEUR. Emmène-moi avec toi, moman...

NANA. Ben non, ben non, tu vas être correct dans ton lit... Y est à côté du garde-robe, j's'rai pas loin... *(Regardant en direction de Gabriel :)* Tu vois, c'est commode, des fois, que ton lit soye encore dans notre chambre... Au fait, comment ça se fait que tu dors pas, toi ?

LE NARRATEUR. C'est le bruit qui m'a réveillé.

GABRIEL. Pis chus sûr que c'est pas le tonnerre qui l'a réveillé, c'est vous autres !

NANA. T'es donc drôle ! En attendant, rends-toi utile ! Y faut pas qu'y aye une craque d'ouverte dans toute la maison !

Elle sort. Gabriel se lève, s'approche du fauteuil du narrateur.

GABRIEL. Es-tu dans ton lit, Michel ? J'te vois pas, dans' noirceur.

LE NARRATEUR. Ben oui.

GABRIEL. As-tu encore peur ?

Éclair et tonnerre en même temps.

LE NARRATEUR. Oui.

GABRIEL. Faut pas. C'est pas vrai que c'est dangereux. Tu réponds pas ? Tu me crois pas ?

Le narrateur se contente de secouer la tête.

GABRIEL. Veux-tu, j'vas te le prouver que c'est pas dangereux ?

NANA. Gabriel, je t'avertis...

GABRIEL, *en souriant*. Reste donc dans ta cachette, toé, pis laisse-nous donc parler entre hommes ! Tu te vois pas ! T'as l'air d'un ours qui hiberne dans le garde-robe ! J'vois une grosse tache pâle... *(souriant)*... qui frissonne !

Laisse-moé-lé, un peu, c't'enfant-là, y est toujours dans tes jupes !

NANA. Ouan, ben, j'te connais... Tu dois avoir quequ'chose en arrière de la tête...

GABRIEL, *à son fils*. Viens faire la ronde autour de la maison avec moé...

NANA. Gabriel...

GABRIEL, *chatouillant le narrateur*. Envoye donc...

LE NARRATEUR, *se débattant*. Popa, tu me chatouilles...

GABRIEL. Tu vas voir, y a rien de dangereux là-dedans...

Il fait le geste de soulever un enfant. Le narrateur lance un petit cri d'étonnement.

NANA. J't'avertis, si t'électrocutes mon enfant, j'sais pas c'que j'te fais !

LE NARRATEUR. Chus haut ! Chus haut !

Gabriel sort de la chambre.

GABRIEL. J'comprends que t'es haut ! Six pieds plus mes bras... Fais attention à ta tête...

Le narrateur le suit en penchant la tête. L'électricité revient à ce moment-là...

ALBERTINE. Mon Dieu ! Y a trop d'étriceté, les lumières vont péter !

LE NARRATEUR. Chus aussi haut que le globe au milieu de la salle à manger !

GABRIEL. Veux-tu y toucher ?

LE NARRATEUR. Hein ! Y toucher ! J'y touche ! J'y touche ! J'touche au globe de la salle à manger, moman !

NANA. Ouan, ben je ferais attention aux tiens, tes globes, si j'étais à ta place ! Tu pourrais tomber dessus… pis de haut !

LE NARRATEUR. Ouache ! C'est tout sale ! Y a de la mousse brune ! Toute collante ! Pis c'est plein de mouches collées !

NANA. Dis-lé à ton père, c'est lui qui est supposé de s'occuper de ça !

GABRIEL. Viens, on va aller explorer la maison pour voir si y a une boule de feu qui se cache quequ'part…

Coup de tonnerre. L'électricité s'éteint.

ALBERTINE, *de la coulisse.* J'vous l'avais dit !

Gabriel installe son fils sur ses épaules.

GABRIEL. T'es donc ben pésant !

LE NARRATEUR. C'est parce que ça fait longtemps que tu m'as pas pris dans tes bras !

GABRIEL. T'es pus un bébé, Michel…

LE NARRATEUR, *tout bas.* Non, mais j'aimerais ça pareil.

GABRIEL. Quoi ?

LE NARRATEUR. Rien. Aïe, c'est comme ça que vous voyez le monde, vous autres, le grand monde ! De haut, comme ça ? Pis vous avez pas le vertige ?

Gabriel rit.

GABRIEL. Des fois, j'aimerais ça le voir d'en dessous de la table de la salle à manger ! Ça doit être intéressant par boutes ! Hein ? Baisse ta tête, on passe dans la cuisine !

LE NARRATEUR. Hein ! La table a l'air tout petite !
Pis t'es capable de rejoindre la boîte de biscuits sur la
glacière ! Chanceux !

GABRIEL. Pas de boule de feu dans le poêle ?

LE NARRATEUR, *en riant.* Pas de boule de feu dans le
poêle !

*Gabriel traverse la scène en courant, le narrateur hurle de
joie.*

LE NARRATEUR. On dirait que je vole ! Tout est tout
petit pis tout va trop vite !

GABRIEL. La chambre de grand-moman... on va y faire
peur. Kababoum ! Kabow ! Kababow !

VICTOIRE. Tu m'as faite faire le saut, grand fanal
éteindu !

GABRIEL. Pas trop de dommages, moman ? La boule de
feu vous a pas trop roussi le fessier ?

VICTOIRE. Tais-toé donc ! Penses-tu que c'est agréable
de passer la nuitte le nez dans les boules à mites ?

GABRIEL, *à son fils.* Est pas encore morte. Ben, coudonc,
ça sera pour une autre fois.

Le narrateur rit.

VICTOIRE. Michel ! J'te défends de rire d'une insigni-
fiance pareille !

Le plus gros coup de tonnerre se fait entendre.

GABRIEL. Oh, boy ! c'en était toute une, ça ! Viens, on
va aller voir ça dehors !

ALBERTINE. Y a-tu quelqu'un qui a dit quequ'chose ?
Mon dieu ! Chus sourde !

GABRIEL, *à son fils.* Arrête de te débattre comme ça, Michel, on s'en va voir le plus beau spectacle du monde !

Gabriel et le narrateur sont sur le balcon qui surplombe la rue Fabre.

Pluie, éclairs, tonnerre.

Le narrateur se place derrière son père, un peu comme pour un duo d'opéra.

GABRIEL. 'Gard ça si c'est beau ! 'Gard ça si c'est beau !

LE NARRATEUR. J'vois rien !

GABRIEL. Comment ça, tu vois rien !

LE NARRATEUR. J'ai les yeux fermés !

GABRIEL. Ben, ouvre-les !

LE NARRATEUR. Chus pas capable...

GABRIEL. Ben oui, ben oui, t'es capable...

LE NARRATEUR. Non...

GABRIEL. Ben oui, ben oui... Ouvres-en un... juste un pour commencer...

LE NARRATEUR. Non...

GABRIEL. Étends les bras, au moins... pour sentir la pluie...

Lentement, le narrateur passe ses bras au-dessus des épaules de Gabriel.

GABRIEL. Tu la sens, la pluie ?

LE NARRATEUR. Oui... C'est chaud... C'est de l'eau chaude !

GABRIEL. As-tu ouvert les yeux ?

LE NARRATEUR. Non, pas encore…

GABRIEL. Ouvre-les… Juste un petit peu, pour commencer, si tu veux…

Pendant que le narrateur ouvre lentement les yeux, le concert continue dans le ciel. Gabriel se penche un peu par en avant.

LE NARRATEUR. Ah ! C'est vrai que c'est beau ! Pis je reçois plein d'eau sur la tête ! *(Il lève la tête, ouvre la bouche.)* Chus capable de boire la pluie, popa !

Gabriel sourit.

GABRIEL. Tu pourras pas dire que j't'ai jamais rien montré…

Le narrateur retire ses bras, Gabriel se redresse. L'orage commence à se calmer.

LE NARRATEUR. C'est-tu vrai que c'est le bon Dieu qui est fâché ?

GABRIEL. Voyons donc ! Faut pas croire ces affaires-là !

LE NARRATEUR. C'est grand-moman qui dit ça…

GABRIEL. Ta grand-mère dit aussi que l'eau de Pâques guérit les maux d'estomac pis que son maudit rameau bénit éloigne le diable ! Ta grand-mère explique toute avec le bon Dieu, laisse-la faire…

LE NARRATEUR. C'est quoi, d'abord, si c'est pas Lui ?

GABRIEL. C'est la nature. C'est juste la nature !

LE NARRATEUR. Est fâchée ?

GABRIEL. Je sais pas si est fâchée, mais y a rien de plus beau pis de plus puissant que la nature, mon petit gars.

Oublie jamais ça ! Rien ! C'est mon père… *(Il se reprend.)* C'est mon oncle Josaphat qui m'avait montré ça quand j'étais petit, à Duhamel… Y avait faite la même chose que je viens de faire avec toé, y m'avait sorti sur la galerie de la maison pendant un gros orage, pis je l'ai jamais oublié ! Un orage, c'est le plus beau spectacle du monde pis y faut toujours regarder ça en face, pas se cacher dans les garde-robes ! Dans les garde-robes, y a juste la noirceur, pis l'ignorance, pis la peur. Icitte, sur le balcon, en plein orage… je sais pas… c'est puissant… pis ça libère. Tu lèves les bras au milieu de tout ça, le bruit, la lumière, la pluie, pis ça fait du bien ! J'pense que ça lave !

Ils sourient tous les deux. Le narrateur pose ses mains sur les épaules de Gabriel.

GABRIEL. Tu vois, c'est presque fini, pis y nous est rien arrivé. L'orage s'en va…

LE NARRATEUR. C'est plate…

GABRIEL. Faudrait penser à rentrer.

LE NARRATEUR. Ouan…

GABRIEL. J'ai pas tellement le goût… toé ?

LE NARRATEUR. Moi non plus…

GABRIEL. On va rester icitte un petit peu…

LE NARRATEUR. O.K.

GABRIEL. Jusqu'à ce que ta mère vienne nous chercher…

LE NARRATEUR. O.K.

Le narrateur serre les bras autour du cou de Gabriel, appuie son front sur son épaule et pleure.
Musique.

NOIR.

DEUXIÈME ACTE

LE NARRATEUR. Quand arrive le temps des Fêtes, chaque année, une douce folie s'empare de la maison. Ça commence par sentir les tartes aux pommes (on en mange rien qu'une fois par année et ça nous rend fous, on peut en manger à se rendre malades...), ensuite ça sent les beignes (ma grand-mère, ma mère et ma tante en font douze douzaines, je pense, et ils sont célèbres dans toute la parenté), puis, quelques jours avant Noël, le sapin fait son apparition. *(Un sapin encore dépouillé apparaît dans le bow-window de la salle à manger.)* Mon père et mes frères achètent le plus beau, le plus gros, le plus fourni. Une année sur deux on est obligé de lui couper la tête parce qu'il est trop grand. Avec le reste, ma mère garnit la table du réveillon. Et deux jours avant Noël, la grande cérémonie de la décoration du sapin commence. C'est toujours compliqué, burlesque, souvent invraisemblable, mais c'est un des moments de l'année que je préfère. *(Nana entre, portant quatre ou cinq boîtes de décorations d'arbre de Noël. Pendant toute la scène suivante, elle sortira les boules des boîtes et leur ajoutera à chacune un petit crochet de métal. Pour le moment, elle dépose les boîtes sur la table. Puis elle s'assoit. Le narrateur vient s'installer sur la chaise qui fait face à celle de sa mère.)* Mais cette année-là, l'année de mes six ans, j'ai un problème que j'ai peur d'être incapable d'expliquer clairement à ma mère...

Parce que j'ai besoin d'argent. Et qu'elle est intraitable au sujet de l'argent. Parce qu'elle n'en a pas. *(Il lance un grand soupir et se lance:)* Momaaan...

NANA. Quand tu lyres comme ça, toi, c'est parce que t'as quequ'chose à me demander... Qu'est-ce qu'y a, encore...

LE NARRATEUR. Ben... C'est pour l'école...

NANA. Encore !

LE NARRATEUR. Pourquoi tu dis encore ?

NANA. Parce que je sens qu'y a encore de l'argent au bout de t'ça... C'est drôle, hein, quand c'est pour l'école, y faut toujours que je finisse par ouvrir ma sacoche ! Y a-tu de l'argent au bout de t'ça, Michel ?

LE NARRATEUR. Ben... oui.

NANA. Je le savais ! C'est quoi, c'te fois-là ? Y vendent des petits Jésus en sucre d'érable pour Nowell ? Le curé a besoin de nouveaux caneçons ? Les bonnes sœurs ont besoin de nouvelles capines ?

LE NARRATEUR, *souriant malgré lui.* Voyons donc, y nous demandent jamais d'argent pour des affaires de même...

NANA. Ouan, ben c'est ben les seules choses pourquoi y nous demandent pas d'argent... Des fois, j'ai l'impression de payer pour leur papier de toilette pis leur huile de bain ! C'tait quoi, la dernière fois... Ah oui, la canonisation de la folle qui voyait des saints partout... Ben là, grâce à mon argent, a' va faire partie de sa propre vision ! Mais ça, ça fait déjà un *gros* mois ! C'est quoi, là ? La crèche de Nowell grandeur nature ? Les missions en Chine ?

LE NARRATEUR. Oui, justement, c'est pour les missions en Chine…

NANA. C'est ça ! Quand arrive le temps de Nowell, y nous sortent toujours les missions en Chine ! Chaque année ! Après les Fêtes, y a une vente de blanc chez Dupuis Frères, avant les Fêtes, y a une vente de Chinois à l'église Saint-Stanislas-de-Kotska ! Sont pas gênés, hein ? Ça fait même pas deux semaines qu'y nous ont demandé de l'argent pour guérir j'sais pus trop qui de la fièvre jaune ou ben de la mouche tsé-tsé, j'me rappelle pus trop… Ça prend ben eux autres pour penser que l'argent peut guérir la fièvre jaune ! Qu'y restent donc ici, aussi, leurs missionnaires, pis qu'y attrapent donc une bonne vieille grippe d'hiver comme tout le monde ! Ça va coûter moins cher pis j'vas avoir plus d'argent pour mes cadeaux de Nowell !

LE NARRATEUR. Écoute-moi, moman…

NANA. J't'écoute…

LE NARRATEUR. Tu m'écoutes pas, t'arrêtes pas de parler…

NANA. Peut-être que je t'interromps un peu, mais je t'écoute…

LE NARRATEUR. C'est parce que…

NANA. Ah oui, ça, chus sûre qu'y va y avoir une bonne raison…

LE NARRATEUR. Y en a une bonne raison, tu sauras !

NANA. Vas-y, j't'écoute… J'vas retenir ma grande langue…

LE NARRATEUR. T'sais, j't'ai déjà expliqué qu'à l'école y nous ont donné chacun un beau dessin d'avion découpé en cent petites cases… Chaque fois qu'on achète un petit Chinois, on remplit une case de la couleur qu'on veut...

NANA. T'as ben dû remplir deux cents dessins d'avions depuis le commencement de l'année scolaire, toi, c'est comme rien ! Y ont dû en manquer !

LE NARRATEUR. T'es donc drôle...

NANA. Chus pas sûre que je faisais une farce...

LE NARRATEUR. En tout cas, pour le temps des Fêtes, on a le droit de remplir *deux* cases pour chaque dix cennes qu'on donne !

NANA. Mon Dieu ! Quelle générosité ! Y vont se mettre en faillite ! *(Changeant de ton.)* J'te l'avais dit, y font une vente ! Y écoulent leurs petits Chinois pour deux fois moins cher ! N'importe quoi pour nous faire cracher notre argent !

LE NARRATEUR. Ben oui, mais y me reste juste vingt cases à remplir !

NANA. Une piasse ! T'oses venir me demander une piasse quequ'jours avant Nowell pour t'acheter vingt petits Chinois ! Sais-tu ce que ça représente, pour nous autres, une piasse ? Hein ? Y le savent-tu, les frères pis les sœurs, ce que ça représente pour nous autres ? J'peux nourrir une maisonnée de douze personnes avec une piasse, Michel ! J'peux faire un festin, avec une piasse ! Un repas de noces !

LE NARRATEUR. Exagère pas !

NANA. Tu serais surpris de voir c'que je peux faire avec une simple petite piasse, mon petit gars ! Des fois, ce que t'as dans ton assiette est un vrai miracle pour ce que ça a coûté ! Tu iras voir ton frère enseignant, là, qui sentait le yable la dernière fois que j'ai assisté à une réunion de parents, pis tu y diras que ta mère va nourrir ses enfants avant de t'acheter des petits Chinois pour Nowell, même si y sont en vente !

LE NARRATEUR. Tu *m'achètes* pas des petits Chinois, moman, c'est pas des bebelles ! T'achètes des petits Chinois pour sauver leur âme, c'est pas pareil !

NANA. Sauver leur âme ! C'est eux autres qui disent ça, ces niaiseries-là ? Ben laisse-moi te dire que c'est pas comme ça que tu m'en parles depuis le mois de septembre, mon petit gars ! T'achètes des petits Chinois à la pelletée depuis que t'es rentré à l'école, pis tu les baptises toutes Michel ! C'est pas mêlant, des fois j'ai l'impression qu'y a la moitié de la population de la Chine qui s'appelle Michel ! Pis quand t'en parles, c'est exactement comme si y t'appartenaient pour vrai, exactement comme si c'était justement des bebelles ! Pas leurs âmes qui furent sauvées, là, non, non, non, *eux autres* ! Tu montres leur portrait à tout le monde en disant : « R'gardez, c'est mes petits Chinois ! Pis y s'appellent toutes Michel Tremblay ! »

LE NARRATEUR. Y s'appellent pas Michel Tremblay. Juste Michel.

NANA. Mettons. Michel Wong ? Michel Chang ? Tu vas faire ta première communion ben vite, jamais je croirai que tu penses encore *vraiment* que t'achètes des petits Chinois pour sauver leur âme ! Ça pis le père Nowell, y me semble que ça devrait faire longtemps que tu crois pus à ça ! J'devrais pas te dire ça avec c'que ta tante Bartine pis ton oncle Josaphat te préparent, mais bon... Y a pas plus de petits Chinois qui t'appartiennent que de père Nowell avec sa poche pleine de cadeaux pis sa passion pour ma tarte aux pommes, pis chus sûre qu'au fond tu le sais très bien !

LE NARRATEUR. Que c'est que j'achète, d'abord, quand y me disent que c'est des petits Chinois ? Hein ?

NANA. Je le sais-tu, moi ! J'faisais une farce, tout à l'heure, mais peut-être que c'était pas si bête... C'est peut-être vraiment des capines pour les sœurs que t'achètes... Ou ben des caneçons pour les curés. C'te monde-là, y ont toujours toute eu gratis ! Les plus beaux terrains pour leurs belles grosses églises... Pis y ont jamais eu à payer une maudite cenne de taxe ! Pis y ont jamais payé une cenne d'impôt ! Pis en plus y ont le toupet de venir demander à du monde pauvre comme nous autres de se serrer la ceinture dans le temps des Fêtes pis d'acheter au rabais les petits Chinois qui leur restent ! Tu crois à ça, toi ? Ben moi, j'ai ben de la misère, mon petit gars, beeen de la misère !

LE NARRATEUR. Moman !

NANA. Ben quoi ! La suis-tu, c't'argent-là ? Hein ? Sais-tu oùsqu'a' va ? A' prend-tu le bateau pour la Chine, tu penses, ou ben le bord des tiroirs des bonnes sœurs ?

LE NARRATEUR. Les sœurs sont pas menteuses !

NANA. Les sœurs ont été inventées pour conter des mensonges, Michel !

LE NARRATEUR. C'est pas vrai !

NANA. Pis sont prêtes à faire n'importe quoi pour empocher ! Quand y voyent un trente sous, la capine leur frémit su'a tête, pis la langue leur sort de la bouche de six pouces ! Y salivent devant un trente sous comme le chat de ta grand-mère devant la cage de Tit-Pit quand y était encore vivant ! Les sœurs, là, pis les frères, là, pis les prêtres, chus sûre que leurs repas doivent être pas mal plus intéressants les semaines oùsqu'y font de la pression pour vendre le plus de petits Chinois possible ! Ton argent atterrit peut-être directement dans leur assiette, Michel, a' se transforme peut-être en steak haché pis en blé d'Inde en boîte !

LE NARRATEUR. Dis pas ça !

NANA. C'est vrai que je devrais peut-être pas dire ça devant un enfant, t'as raison... Mais tout ça me choque tellement, si tu savais...

LE NARRATEUR. C'est vrai que les religieux ont des missions en Chine ! Y nous ont montré un film !

NANA. Ben oui, je le sais que c'est vrai... Moi aussi, j'en ai déjà vu de ces films-là... Y en existait déjà quand j'étais petite fille dans le fin fond de la Saskatchewan ! Des films muets avec des prêtres qui faisaient leurs jars pis des Chinois qui leur servaient de porteurs ! Pis laisse-moi te dire que c'étaient pas leurs âmes qui portaient les paquets ! Je dirais même qu'y avait pas tellement l'air d'être question de religion entre eux ! Le jour oùsque je verrai un prêtre porter un paquet pour un Chinois, je commencerai peut-être à les croire, pas avant ! Mais veux-tu ben me dire que c'est qu'y font là, pour l'amour du bon Dieu ! Y en a des âmes à sauver, ici ! J'pourrais même leur en montrer quequ's'unes sans problème... Pourquoi y les laissent pas tranquilles, les pauvres Chinois ? Y en ont déjà une religion, y me semble que c'est assez !

LE NARRATEUR. Mais c'est pas la bonne ! Y faut qu'y deviennent des catholiques, sinon y vont aller en enfer !

NANA. J'te dis que ça va en faire du monde en enfer, ça ! Sont six cents millions, Michel, y restera pus de place pour nous autres ! Six cents millions ! Les bonnes sœurs pensent quand même pas que c'est en leur envoyant trois curés pis dix religieuses qu'y vont convertir six cents

millions de Chinois ! C'est pas qu'une petite job, ça, là…
Ça va en prendre, des dessins d'avions…

LE NARRATEUR. Y en envoyent plus que ça, des missionnaires…

NANA. Ben oui. Disons le double ! Mais jamais assez pour convertir la Chine au grand complet ! Voyons donc ! Y ont-tu converti tous les Indiens quand y sont arrivés ici ? Hein ? Ben non ! Y ont été obligés de les tuer pour qu'y pensent comme eux autres ! Pis y en avait ben moins qu'y a de Chinois en Chine !

LE NARRATEUR. Moman !

NANA. Y devraient m'engager, moi, pour conter l'Histoire du Canada, j'te dis que vous auriez des petites surprises !

LE NARRATEUR. Bon, O.K., laisse faire…

NANA. J't'ai pas donné la permission de quitter la table… Écoute-moi jusqu'au bout… J'veux pas que t'ayes honte de moi, là, parce que je veux pas te donner une piasse pour acheter vingt petits Chinois… D'abord, première des choses, du monde, ça s'achète pas !

LE NARRATEUR. C'est ça que je t'ai dit, aussi, c'est leurs âmes qu'on achète…

NANA. Les âmes encore moins ! Mettre des affaires de même dans' tête des enfants ! Voyons donc ! À quoi y pensent ! Les Chinois sont mille fois plus nombreux que nous autres, Michel ! Pis les curés mériteraient que les Chinois débarquent ici, un bon jour, pour acheter des petits Canadiens français ! Vois-tu ça d'ici ? Des sœurs chinoises qui débarquent ici pour nous convertir ? C'est quoi leur Dieu, d'abord… Bouddha ? Te vois-tu, toi, pogné pour croire en Bouddha que tu connais pas ni d'Ève ni d'Adam ? Ben, mets-toi à leur place… On arrive chez eux avec des histoires qu'y ont jamais entendues, pis on se met à vendre leurs enfants aux nôtres… Y peuvent ben nous haïr, c'te monde-là !

LE NARRATEUR. Mais c'est nous autres qui a raison ! C'est nous autres, qu'on a la bonne religion !

NANA. Ben, les petits Chinois que t'achètes, là, y se font dire la même chose, chez eux, t'sais !

LE NARRATEUR. Oui, mais justement, y savent pas qu'y ont pas la vraie foi ! Faut aller leur dire !

NANA. Y a peut-être un petit Chinois, en ce moment même, quequ'part en Chine, qui est en train d'avoir exactement la même conversation avec sa mère… Au-dessus d'un bol de soupe won-ton. Pis sa mère y répond la même chose que moi… Peut-être qu'elle a raison pour eux autres pis que moi j'ai raison pour nous autres… Pourquoi toujours obliger les autres à penser comme nous autres ?

LE NARRATEUR. C'est ça que tu fais toujours, pourtant…

NANA. Bon, ben là, si tu commences à faire le smatte… J'aime ça discuter, Michel, ça veut pas dire que je veux que tu penses comme moi… Tu vois, j'ferai justement pas comme les bonnes sœurs, j't'obligerai pas à tout croire ce que je te dis… Continue à les croire, elles, si tu veux, pis les frères, pis les prêtres, mais compte pus sur moi pour subventionner leurs soupers gastronomiques du samedi soir !

LE NARRATEUR. Moman !

NANA. Ben, c'est comme ça.

LE NARRATEUR. Qu'est-ce que j'vas leur dire ? Chus quand même pas pour leur dire que ma mère veut pas leur donner de l'argent parce qu'est sûre que c't'argent-là aboutit directement dans leur assiette !

NANA. Tant qu'à ça, t'as un bon argument, toi, là... Après toute, c'est toi qui vas rester pogné avec eux autres jusqu'à la fin de l'année... Tu vois, y ont même pas besoin de faire de chantage, le chantage se fait tu-seul...

LE NARRATEUR. C'est quoi, le chantage ?

NANA. Laisse faire, tu le sauras ben assez vite ! *(Devant l'air insistant de son fils:)* Le chantage, mon petit gars, c'est quand tu menaces de faire la grève de la faim si je continue à cacher des morceaux de navet dans tes patates ! Écoute, je sais pus quoi te dire, là...

LE NARRATEUR, *en souriant.* C'est rare, ça...

NANA. Ouan, c'est rare, mais là ça arrive pis chus ben embarrassée...

LE NARRATEUR. Ça veut-tu dire que j'vas avoir mon argent ?

NANA. Tu vas avoir ton argent, mais je veux que tu saches une chose... Si j'te donne c't'argent-là, c'est pas parce que je crois leurs histoires, comprends-moi ben, c'est juste que pour t'ayes la paix, toi... Parce que je veux pas que tu te fasses traiter de pauvre, de tout-nu, même si c'est pas mal vrai, que tu fasses rire de toi, parce que sont ben capables de le faire, pis que tu fasses une mauvaise première communion à cause de moi... J't'achète la paix, Michel, c'est tout ce que je fais. Comprends-tu ?

LE NARRATEUR. Non.

NANA. Je le sais. J'espère juste que tu vas comprendre un jour. En attendant, va t'acheter tes petits Michel Tremblay aux yeux bridés, ça a l'air qu'on peut pas les éviter… J'te donne cinquante cennes, t'en achètes dix… On verra après les vacances de Nowell si on a les moyens de sauver dix autres âmes…

LE NARRATEUR. Mais mon dessin sera pas rempli pour Nowell ! Pis y reste juste une journée d'école !

NANA. Tu diras au frère qui t'enseigne que la dinde de Nowell va peser deux livres de moins à cause de ça pis que je peux pas en acheter une de quatre livres de moins, a' serait pas assez grosse pour nourrir toute la famille…

Le narrateur s'éloigne, tête baissée. Nana le rattrape et lui met une main sur l'épaule.

NANA. Va pas y dire ça pour vrai, là…

LE NARRATEUR. J'y dis pas si tu me donnes le reste de la piasse…

Elle le chasse avec des tapes sur les fesses. Il s'appuie contre la table.

NANA. T'apprends trop vite, toi, tu me fais peur ! *(Elle replace ses cheveux, son tablier.)* Si les autres peuvent arriver, aussi, on va pouvoir commencer à le décorer, c't'arbre de Nowell-là… Mes décorations sont presque toutes prêtes… 'Gard, j'ai retrouvé l'oiseau de paradis que j'avais perdu, l'année passée… Y avait glissé en bas de sa boîte, pis y a passé l'année dans le fond du garde-robe…

LE NARRATEUR, *avec un sourire en coin.* T'aurais pu l'écraser pendant les orages électriques !

Sa mère le fusille du regard. Le narrateur quitte la table, s'éloigne.

Musique.

Gabriel vient s'installer dans la chaise berçante de sa mère et écoute une émission comique de radio américaine. Il rit en même temps que le public du studio. L'appareil de radio est énorme et Gabriel le regarde comme s'il voyait ce qui se passe à l'autre bout de l'Amérique. Albertine, à la table de la salle à manger, termine l'ourlet de la manche d'une robe de satin bleu pâle recouverte de tulle. Le narrateur vient s'asseoir dans son fauteuil.

ALBERTINE. Gabriel… Jeudi soir, neuf heures moins cinq… Le *Théâtre Ford* commence dans cinq minutes…

GABRIEL. Jésus-Christ… Tu vas pas encore me faire écouter ces niaiseries-là…

ALBERTINE. Aïe ! C'est Germaine Giroux dans *La danseuse rouge*, à soir ! Y paraît qu'a' fait une espionne russe, qu'est méchante sans bon sens, pis qu'a' martyrise la pauvre Marjolaine Hébert qui fait pitié sans bon sens… J' manquerais pas ça pour tout l'or au monde… Va te coucher, si ça t'intéresse pas, c'est toute !…

GABRIEL. Y est juste neuf heures ! D'habitude, je travaille jusqu'à minuit pis chus jamais couché avant deux heures du matin !

Elle le regarde.

ALBERTINE. T'as toujours pas trouvé ?

GABRIEL. Y m'ont dit qu'y me rappelleraient probablement au commencement de l'année…

ALBERTINE. Va travailler ailleurs…

GABRIEL. C'est pire, ailleurs…

ALBERTINE. Quand Nana t'a vu revenir avec ton coffre d'outils, y a deux semaines, j'pensais qu'a' perdrait sans connaissance... Force-toé, un peu, va voir ailleurs...

GABRIEL. Aïe, t'es peut-être ma sœur, mais ça te donne pas le droit de me juger...

ALBERTINE. J'te juge pas...

GABRIEL. Oui, tu me juges ! On dirait que tu penses que j'aime ça être au chômage...

ALBERTINE. J'ai jamais dit ça...

GABRIEL. Peut-être, mais t'es tellement pas subtile que j't'entends penser, des fois !

ALBERTINE. Ben oui, mais t'es là que t'attends des journées de temps que l'imprimerie te rappelle... Y en a d'autres, des imprimeries !

GABRIEL. C'est là que chus ben, pis c'est là qu'y me donnent de la job !

ALBERTINE. O.K., O.K. C'est correct. Attends en écoutant Bob Hope, que c'est que tu veux que je te dise...

Après un petit silence, il baisse le son, se lève, s'approche de la table. Il désigne la robe.

GABRIEL. T'achèves ?

ALBERTINE. J'peux juste pas croire que chus t'en train de faire ça...

GABRIEL, *en riant.* J'ai assez hâte...

ALBERTINE. Ben pas moé... C'est la job d'Édouard de faire le fou, dans' famille, pas la mienne !

GABRIEL. Y était pas libre, c't'année...

ALBERTINE. Franchement ! Y était pas libre c't'année ! Y aurait pu arriver au party de son ami Samarcette un peu plus tard, jamais je croirai...

GABRIEL. C't'un souper, Bartine !

ALBERTINE. Y aurait pu arriver au dessert ! Je sais pas, moé, sortir du gâteau avec son costume de père Nowell, y aurait pas eu besoin de se changer pour faire rire ses amis ! Y est jamais là pour nous rendre service... Quand y a besoin de nous autres, par exemple...

GABRIEL. C'est pas vrai, ça, Bartine, c'est la première fois que ça arrive...

ALBERTINE. Après une première fois, y en a toujours une deuxième... Pis moé, j'ai pas envie de recommencer ça à tou'es ans, non certain !

GABRIEL. De toute façon, ça sert à rien de discuter, c'est toé qui as hérité de la job c't'année, un point c'est toute...

ALBERTINE. Ouan, ça va être beau... Que c'est que j'vas y dire ? Comment j'vas y parler ? C't'enfant-là est trop intelligent pour pas me reconnaître !

GABRIEL. Y reconnaît pas Édouard quand y le voit dans son costume de père Nowell...

ALBERTINE. Tu penses ça, toé ! Moé, chus sûre qu'y l'a reconnu la première fois qu'il l'a vu quand y avait six mois !

GABRIEL. Ben, y va faire la même chose avec toé, c'est toute...

ALBERTINE. Ben oui, y va rire de moé en pleine face pis j'vas le laisser faire !

Le narrateur s'est levé et s'est approché d'eux. Albertine sursaute et essaie en vain de cacher la robe, beaucoup trop grosse.

ALBERTINE. Mon Dieu que tu m'as fait peur ! D'où c'est que tu sors, toé ? T'es pas chez ta tante Béa avec ta mère pour écouter *La danseuse russe* ?

LE NARRATEUR. Non… J'avais mal au ventre pis j'me sus couché… Moman te l'a dit, mais t'écoutes jamais… J'm'en venais écouter le *Théâtre Ford* avec toi…Qu'est-ce que tu fais, donc…

ALBERTINE. Ben… euh…

Elle regarde Gabriel qui lui fait un signe d'impuissance…

ALBERTINE. Rien de spécial… J'fais un peu de raccommodage… Une vieille affaire…

LE NARRATEUR. Une vieille affaire en satin neuf ?

Gabriel s'esquive sur la pointe des pieds en souriant.

ALBERTINE, *à Gabriel.* Maudit lâche ! *(À son neveu :)* Ben… je sais pas quoi te dire, là… Faudrait que je trouve quequ'chose, mais je trouve rien… Tu veux toujours tout savoir, c'est-tu fatiquant, ça… *(Elle explose.)* Tu veux savoir ce que je fais ? Hein ? Tu veux le savoir, ce que je fais ! Ben m'as te le dire, ce que je fais ! J'me prépare à faire une folle de moé, c'est ça que je fais ! C'est simple, hein ? C'est pas compliqué : dans quequ'jours d'icitte, m'as faire une folle de moé, m'as faire rire de moé comme j'ai jamais faite rire de moé dans toute ma vie, pis on va en parler pendant des années ! Quand tu vas aller à l'université, dans vingt ans, tu vas conter ça à tes amis pis y te croiront pas qu'une de tes tantes a faite une folle d'elle de même ! J'me prépare à faire quéu'chose que quelqu'un d'autre fait d'habitude, parce que ce quelqu'un d'autre là a mieux à faire ce soir-là que faire ce qu'y fait d'habitude ! C'est pas compliqué ! C'est moé qui a été élue pour faire ça, j'ai pas le goût, je veux pas, mais chus pognée pour le faire même si je sais d'avance que ça sert à rien parce que chus pas bonne pour ces affaires-là, que j'vas probablement figer, pis qu'en plus de faire une folle de moé, j'vas gêner tout le monde tellement ça va être pénible ! C'est ça que je fais ! Pis sais-tu quoi ? Tu viens de me faire manquer le commencement de *La danseuse russe*, pis j'écouterai pas le reste parce que j'haïs ça manquer le commencement des affaires, pis que j'aime mieux m'en passer complètement que d'en manquer un boute ! À cause de toé, je saurai jamais ce que Germaine Giroux fait à Marjolaine Hébert pour la faire souffrir, excepté quand ta mère va me le conter en se tenant le cœur à deux mains tellement c'tait beau, pis là, ça va me faire encore plus chier ! Bonne fin de soirée !

Elle sort en traînant sa robe bleu pâle derrière elle.

L'éclairage change.

Victoire arrive avec des jeux de lumières d'arbre de Noël qu'elle vient de démêler. Elle les porte comme on porte des couronnes de fleurs. Elle a elle-même l'air décoré. Nana la suit.

VICTOIRE. Ça m'a pris quasiment deux heures à démêler tout ça… Chaque année, c'est la même chose… On a beau leur dire de faire attention quand y les serrent, y remettent les sets de lumières n'importe comment dans leurs boîtes… C'est tout mêlé, faut tirer, faut pousser… Tout ce que je peux te dire, Nana, c'est qu'on a failli avoir un arbre de Nowell sans lumières, c't'année… J'ai failli tout garrocher par le châssis de ma chambre !

NANA. Vous dites ça chaque année, madame Tremblay…

VICTOIRE. Si Gabriel pis les enfants m'écoutaient, aussi, j'aurais pas besoin de me répéter tout le temps… Pis j'me battrais pas avec ça tou'es mois de décembre !

NANA. Pis vous trouveriez ça ben plate…

VICTOIRE. Ça veut dire quoi, c'te remarque-là ?

NANA. Rien, rien… Ça veut rien dire… J'ai presque fini de mettre des crochets après les boules…

VICTOIRE. J'me demande pourquoi tu recommences ça chaque année… Si tu laissais les crochets après les boules, en défaisant l'arbre de Nowell, t'aurais pas besoin de recommencer l'année suivante…

Nana regarde sa belle-mère. Celle-ci hausse les épaules.

VICTOIRE. Correct. J'ai rien dit. Fais à ta tête… On va continuer à acheter un paquet de crochets neufs tou'es ans parce que ceux de l'année d'avant vont toutes s'être pognés dans un pain pis qu'on pourra rien faire avec ! C'est la maison du gaspillage, ici-dedans !

NANA. La maison du gaspillage de salive, oui !

VICTOIRE. Aïe, ça va faire, les remarques, à soir, là ! T'es ben caduque, toé, tout d'un coup…

NANA. J'viens d'avoir une autre conversation inutile avec mon enfant…

VICTOIRE. Ouan, ben c'est moins pire que d'avoir des conversations inutiles avec des adultes…

NANA. Mon dieu, le temps des Fêtes va être excitant cette année ! *(Pause.)* Pis pour ce qui est des crochets, là, vous saurez que j'aime ça, faire ça ! Quand je les mets après les boules, j'ai l'impression de me préparer à faire quequ'chose d'important, j'les touche, j'les essuie… J'les connais toutes ! J'pourrais dire d'où y viennent ! Toutes ! Une par une ! C'est juste si je leur donne pas des noms ! Pis quand je les enlève, deux semaines plus tard, ça veut dire que c'te chose importante là est déjà finie… pis j'ai le temps d'es regarder une dernière fois une par une jusqu'à l'année suivante. J'enlève les crochets, j'les remets dans leur boîte une par une…

VICTOIRE. J'te dis que t'as du temps à perdre…

NANA. C'est pas du temps perdu… Pis si ça en est, ça change pas grand-chose à votre vie, hein… Vous mangerez pas votre collation plus tard, à soir, parce que j'ai posé des crochets après les boules d'arbre de Nowell, ça fait que plaignez-vous donc pas !

VICTOIRE. Fâche-toé pas comme ça, Nana, on parle pour parler… En parlant de manger, ça me fait penser… J'espère… *J'espère* que t'as pas encore acheté de la cannelle pour mettre dans les tartes aux pommes …

NANA. Je le sais que vous aimez pas ça, la cannelle, madame Tremblay…

VICTOIRE. Je sais que ça vient de ton côté, que vous aimez ben ça, vous autres, que ta mère s'en met quasiment jusqu'en dessours des bras pour se parfumer…

NANA. J'vous ai dit que j'avais compris, madame Tremblay… Qu'est-ce que vous voulez de plus ?

VICTOIRE. Ben, je veux être sûre ! Ça vient des Anglais, ça, la cannelle… Une autre affaire qui vient des États-Unis ! Y appellent ça de la cinnamoune, eux autres, pis y en mettent partout à tour de bras ! On dirait qu'y viennent au monde avec une suce de cannelle dans' bouche ! Nous autres, dans ma famille, on haït tellement ça qu'on n'en met même pas dans les *buns* à' cannelle !

NANA. Y paraît que c'est bon pour la santé...

VICTOIRE. C'est pas vrai ! T'inventerais n'importe quoi pour qu'on fasse à ta tête !

NANA. En tout cas, y a ben des pauvres qui seraient ben contents d'en avoir !

VICTOIRE. Chus pauvre, pis chus pas contente pantoute d'en avoir ! J'aurais dû jeter la bouteille, aussi, l'année passée, je le savais...

NANA. Que je vous voye jeter ma cannelle, vous !

VICTOIRE. Tu fais cuire une seule tarte aux pommes avec de la cannelle dedans, pis on dirait qu'y en a dans toutes les tartes ! Ça sent trop fort ! C'est trop envahissant, la cannelle, un point c'est toute ! Le poulet qu'on fait cuire dans le four, après, sent la cannelle ! Le thé sent la cannelle ! L'eau de vaisselle sent la cannelle ! Les bécosses sentent la cannelle ! Les vidanges sentent la cannelle !

NANA. Mon Dieu, vous êtes enragée noir après la cannelle, aujourd'hui, vous !

VICTOIRE. J'ai trop peur d'en trouver dans ma tarte aux pommes ! J'aime trop la tarte aux pommes pour la gaspiller avec ça ! J'tue quelqu'un si j'en trouve dans ma tarte aux pommes, c'est-tu clair !

NANA. Pis j'me demande ben qui ça va être, ce quelqu'un-là, hein ?

VICTOIRE. J'veux pas te laisser gagner, Nana ! Sinon, ça sentirait la cannelle pendant des semaines dans la glacière ! Nos cheveux sentiraient la cannelle, nos robes neuves sentiraient la cannelle, le prélart de la cuisine sentirait la cannelle...

Albertine arrive sur les entrefaites avec une énorme boîte.

ALBERTINE. J'ai enfin trouvé la maudite boîte de maudites guirlandes ! *(Nana et Victoire lui montrent le dessous de la table, même si le narrateur n'y est pas retourné.)* Quoi ! Parce que j'ai dit maudit ? Arrêtez ça, y entend ben pire que ça quand son père se paqu'te ! *(Elle dépose la boîte par terre.)* J'l'avais changée de place, pis je m'en rappelais pus...

VICTOIRE. Est pourtant pas difficile à voir...

ALBERTINE. Je l'avais mis debout dans le fond du garde-robe, en arrière d'un vieux tapis roulé... J'ai regardé dans ce coin-là vingt-cinq fois avant de la trouver... *(Elle a ouvert la boîte.)* Je le dis chaque année pis je le dis encore une fois, ces guirlandes-là sont tellement vieilles, pis sales, pis laittes, que je les mettrais directement aux vidanges, moé... On dirait qu'on a fait cuire du steak juste en dessous ! Sont aussi graisseuses que le plafond de la cuisine au-dessus du poêle !

NANA. Donne-moi un budget pour en acheter d'autres, pis tu les verras pus jamais de ta sainte vie...

ALBERTINE, *sourire en coin.* Ben 'coudonc, sont pas si mal, ces guirlandes-là, hein... Y vont pouvoir nous faire encore vingt ans ! *(Victoire et Nana rient. Albertine sort une guirlande et l'approche d'une branche de l'arbre.)* Les voyez-vous d'icitte, dans vingt ans... Ça sera pus des guirlandes de couleur, ça va être des pendentifs bruns ! *(Elle regarde en direction de la table.)* Mais j'sais pas si y va être encore là, lui... *(Nana lui donne une tape sur la main. Elles rient toutes les trois.)* Je le vois, là, à vingt-cinq ans, écrapouti en dessous de la table à nous écornifler... J'vous dis qu'on va avoir intérêt à se serrer les jambes plus qu'aujourd'hui...

NANA. Bon, ben là, on est prêtes à commencer, pis le grand jars est pas encore là !

On entend Gabriel qui fait des vocalises, en coulisse.

ALBERTINE. En parlant du yable, on va y voir le bout de la queue ça sera pas long...

NANA. Y se prépare pas encore à nous chanter *Le petit vin blanc* !

VICTOIRE. Tu sais ce que ça veut dire...

NANA. Ben oui. La taverne Normand. Le refuge du chômeur...

Elles lèvent toutes les trois les yeux au ciel. Gabriel arrive, le chapeau sur la tête.

GABRIEL, *répétant les paroles de la chanson comme il les a entendues.*

Ah, le petit vin banc !

Qu'on voit sous des tonnes d'ailes

Quand les filles sont belles

Du côté de nos gens...

NANA. Gabriel ! Ton chapeau !

GABRIEL. Quoi ?

NANA. T'as encore le casse su'a tête !

Gabriel l'enlève en riant.

GABRIEL. On devrait le mettre en haut de l'arbre, à'place de ton maudit ange en cartron découpé... Avec une lumière dedans, ça serait beau...

ALBERTINE. En tout cas, ça serait moins laitte que c't'ange laitte-là !

NANA. Bartine ! Commence pas avec mon ange !

ALBERTINE. C'est laitte, un ange en haut d'un arbre de Nowell à' place d'une belle étoèle, quand est-ce que vous allez comprendre ça !

GABRIEL, *titubant, mais juste un peu.* C'est vrai que c'est pas très joli…

NANA. Vas-tu être capable de monter en haut de l'échelle, toi, là…

GABRIEL, *la main sur le cœur.* Pour toi, je grimperais le mont Everest nu-pieds !

NANA, *tenant son ange comme un objet précieux.* Ben oui, ben oui, on sait toutes ça… C'est pas ça que je veux savoir…

GABRIEL. Donne-moé-lé, dans moins d'une minute y va être installé ! Ça va être ben laid, mais y va être là !

NANA. Ouan, pis on aura peut-être pus d'arbre de Nowell ni d'ange pour mettre au boute !

GABRIEL. La confiance règne !

NANA. Non, c'est l'expérience qui s'exprime. Envoye, grimpe, t'es le seul ici-dedans qui as pas le vertige ! Du moins quand t'as pas trop bu…

Gabriel installe l'escabeau devant l'arbre.

NANA. Y est si beau, pourtant, c't'ange-là… J'comprends pas…

ALBERTINE. En fait, c'est pas tellement qu'y est laitte en lui-même, c't'un bel ange, c'est pas ça…

Elle regarde sa mère, l'appelant à son secours.

VICTOIRE. C'est juste que… Ben, c'est pas ça qui va en haut d'un arbre de Nowell, Nana !

ALBERTINE. C't'une étoèle !

VICTOIRE. C't'une étoèle qui va en haut d'un arbre de Nowell !

GABRIEL. Envoye, passe-moé-lé…

NANA. Je le sais ! Mais vous aimez pas ça savoir que vous avez un arbre de Nowell différent de tous les autres qu'y a sur la rue !

Albertine et Victoire se regardent.

GABRIEL. Nana…

VICTOIRE ET ALBERTINE. Non.

GABRIEL. Nana, l'ange…

VICTOIRE. On veut pas qu'y soye différent…

ALBERTINE. On veut qu'y soye pareil… en plus beau ! Plus beau, c'est correct… mais… *différent…*

GABRIEL. Nana, es-tu venue sourde tout d'un coup ?

NANA. Là, là, tu-suite, là, savez-vous ce que je ferais avec c't'ange-là ? Si le petit était pas caché en dessous de la table, pis si y risquait pas de m'entendre, j'vous le dirais c'que je ferais avec c't'ange-là, pis je serais obligée d'aller m'en confesser, après ! La cannelle, l'ange, y a-tu quequ'chose que je fais correct, dans c'te maison-là, 'coudonc ? J'vous empêche-tu de vivre ?

VICTOIRE. Mon Dieu, Nana !

ALBERTINE. Voyons donc…

GABRIEL. Fâche-toé pas comme ça, t'es toute blanche…

VICTOIRE. C'est juste que chaque fois que quelqu'un entre icitte, dans le temps des Fêtes, y nous disent toujours : « 'Gardez donc ça, c't'un ange que vous avez en haut de votre arbre de Nowell… C'est drôle, ça, c'est pas supposé d'être une étoèle ? »

Nana tend l'ange à son mari.

NANA. C'est des ignorants sans imagination... Si vous y tenez absolument, on en reparlera l'année prochaine... *Avant* de l'installer ! Vous irez vous acheter une grooooosse étoèle laide, là, pour faire comme tout le monde, pour faire les moutons, pis notre arbre de Nowell va être pareil pareil comme les autres !

GABRIEL, *pour l'amadouer.* C'est-tu l'archange Gabriel ?

NANA. Avant que je mette ton portrait en haut d'un arbre de Nowell, toi...

Pendant qu'il installe l'ange, Nana lui tend un jeu de lumières.

NANA. Pis commence à installer les lumières du haut, on s'occupera de celles du bas, nous autres...

GABRIEL. Chus capable de toutes les installer, tu sais...

NANA. Dans l'état où t'es là, je sais pas si j'peux te faire confiance ben longtemps...

Gabriel se penche vers elle.

GABRIEL, *doucement.* J'ai pris juste une couple de bières, Nana... Chus correct... Chus en contrôle... Y a pas de danger...

Il titube, doit s'accrocher à une branche.

GABRIEL. C'est parce que j'étais penché...

Il commence à accrocher les lumières aux branches, en fredonnant pour se donner une contenance. Nana se tourne vers Albertine.

NANA. T'as pas quequ'chose à faire, toi ?

ALBERTINE. Moé ? Ben non...

NANA. Bartine…

Nana montre le dessous de la table.

ALBERTINE. Quoi ?

VICTOIRE. Bartine ! Veux-tu qu'on te fasse un dessin, sans-dessine ? T'es pas supposée de faire quequ'chose quand mon oncle Josaphat va être là, tout à l'heure ?

LE NARRATEUR. Mon oncle Josaphat s'en vient ? Youpi !

Albertine sursaute.

ALBERTINE. Ah, oui ! C'est vrai ! Mon Dieu ! J'avais oublié ça ! Hé, maudit…

Elle sort presque en courant.

NANA. M'as tellement être épuisée quand m'as me coucher, à soir, que j'me relèverai pas avant les Rois !

GABRIEL. Passe-moé donc d'autres lumières… Au fait, avez-vous vérifié si y en avait de brûlées ?

Les deux femmes se regardent.

VICTOIRE. Euh…

NANA, *innocemment.* T'en rappelles-tu si y étaient toutes correctes, l'année passée, Gabriel ?

GABRIEL. Calvaire !

Nana n'a pas le temps de réagir que Josaphat entre, son capot de chat sur les épaules. Son numéro est plus réussi que celui de Gabriel qui, en fait, avait essayé de l'imiter.

JOSAPHAT, *sur l'air de* Douce France.

Douce souffrance !

J'ai la graine pris dans la branche !

La semaine comme le dimanche !

J'peux pas me servir de mon maaaanche !

Albertine est revenue entendre la fin de la chanson.

VICTOIRE. Josaphat ! Le petit !

JOSAPHAT. Ah ! ben, 'gard donc ça qui c'est qui est là ! Ma petite sœur favorite !

ALBERTINE, *entre ses dents.* Ben oui… On sait ça…

Elle regarde son frère, toujours juché sur l'escabeau.

VICTOIRE. Approche pas, toé, tu dois encore sentir l'haleine…

JOSAPHAT. Un petit bec, un petit bec… *(Victoire se débat. Josaphat abandonne la partie.)* Nana, d'abord, ou la si douce et si gentille Albertine…

ALBERTINE. Si vous approchez, vous, j'vous étrangle avec une guirlande graisseuse !

Elle sort.

LE NARRATEUR, *pour sauver la situation.* Comment ça va, mon oncle Josaphat ?

JOSAPHAT. Si ça allait mieux, mon p'tit gars, ça voudrait dire que chus au Paradis, assis à la droite de Dieu, sur les genoux de sainte Geneviève de Brabant, pis qu'a' serait pas très très habillée… Pis si tu vois c'que je veux dire, c'est pas de la harpe qu'a' jouerait !

VICTOIRE. Si ça a du bon sens de dire des affaires de même devant un enfant de son âge !

JOSAPHAT. Y comprend pas…

VICTOIRE. Une bonne chance… Tu sens pas juste la bière, toé, tu sens le fort…

JOSAPHAT. Nowell vient juste une fois par année…

VICTOIRE. J'espère que t'as pas un quatre épaules de caché dans ta poche de capot de chat, comme l'année passée…

JOSAPHAT, *en enlevant son capot de chat sauvage.* Tu peux fouiller partout… J'ai fait c'que j'avais à faire avant de venir icitte parce que je savais que ça serait une soirée plutôt dry… Le coke, moé, c'est pas mon fort… C'est le fort qui est mon fort !

Il rit de son jeu de mots.

VICTOIRE. T'es pas venu icitte pour boire… J'espère que t'es assez en contrôle pour faire ta job comme du monde, pour une fois !

JOSAPHAT, *plus bas.* Intiquète-toi pas, j'me sus arrangé avec Édouard… Y attend mon coup de téléphone…

VICTOIRE, *même ton.* J'espère que vous avez pas préparé de farces plates, encore… *(Lui offrant un plat de bonbons:)* Tiens, prends ça, ça va t'arranger l'haleine, un peu… T'es quand même pas pour souffler dans' face de c't'enfant-là avec c't'haleine de boésson là !

JOSAPHAT. Hon, des poissons rouges ! J'adore ça !

VICTOIRE, *souriant malgré elle.* Un vrai enfant…

LE NARRATEUR. J'peux-tu en avoir, moi aussi…

VICTOIRE. Tiens, mon trésor, mais manges-en pas trop, ça te donne mal au cœur…

Le narrateur se sert. Victoire aussi.

VICTOIRE. Mmmm. C'est vrai que c'est bon, les poissons rouges.

NANA, *aidant son mari à poser les jeux de lumières.* J'vous ferai remarquer, madame Tremblay, que les poissons rouges, c'est faite avec de la cannelle !

Victoire ouvre de grands yeux et crache le bonbon.

JOSAPHAT, *au narrateur.* À c't'heure que j'ai pus d'haleine, j'vas avoir le droit de t'approcher... Viens embrasser ton oncle Josaphat.

Le narrateur s'approche de lui ; ils se donnent une accolade.

LE NARRATEUR. Le père Nowell est pas avec vous ? D'habitude, y vient nous aider à faire l'arbre de Nowell avec vous...

NANA, *amère.* Non, y était trop occupé, c't'année...

VICTOIRE. Nana...

NANA. Y m'a jamais laissée tomber comme ça, lui...

VICTOIRE. Ça va être correct...

NANA. Une chance que Bartine a eu le temps de se raboudiner quequ'chose...

VICTOIRE. C'est ça qui m'inquiète le plus, moé, si tu veux savoir...

LE NARRATEUR. Ça fait-tu longtemps que vous le connaissez ?

JOSAPHAT, *qui écoutait les deux femmes.* Qui ça ? Ton oncle Édouard ?

LE NARRATEUR. Non ! Le père Nowell...

JOSAPHAT. Ah, c'te vieux escogriffe-là ! J'comprends que ça fait longtemps...*(Plus bas, à sa sœur :)* 'Coudonc, y est pas un peu vieux pour ces histoires-là, lui ?

VICTOIRE. C'est ce que j'essaye de dire à Nana depuis un bon bout de temps...

NANA. Tant qu'y va pouvoir rester enfant, j'vas le garder enfant...

JOSAPHAT. J'espère qu'y arrivera pas comme ça le soir de ses noces...

Les deux hommes rient.

VICTOIRE. Josaphat !

JOSAPHAT, *au narrateur.* Mais je pense que j't'ai déjà tout conté ça cent fois...

LE NARRATEUR. C'est pas grave... Conte-lé encore...

JOSAPHAT. C'est vrai qu'aujourd'hui, ça va être différent, parce que le show va finir autrement...

NANA. Attention à ce que vous dites, mon oncle...

GABRIEL. Mettez-en, mon oncle, brodez tant que vous voulez, y est capable d'en prendre.... Les histoires sont jamais assez longues avec lui...

NANA. On sait ben, toi, on sait quelle sorte d'histoires t'aimes !

GABRIEL. Oui, courtes pis salées, pis j'ai hâte de pouvoir y en conter !

Elle lui donne une tape sur la main.

NANA. J'avertirai quand viendra le temps...

GABRIEL. M'est avis que ça va être long ! Si y arrive le soir de ses noces en croyant encore au père Nowell, y comprendra certainement pas mes histoires...

Les deux hommes rient.

JOSAPHAT. M'as dire comme on dit, y va être surpris par le père Nowell qui va y sortir des culottes...

VICTOIRE. Bon ben là, si vous commencez ça...

JOSAPHAT, *la prenant par la taille.* Correct, correct, à partir de tu-suite, j'y fournis la version expurgée de son oncle Josaphat...

GABRIEL. Mon Dieu, vous sortez vos mots de deux pieds de long, à soir, mon oncle...

JOSAPHAT. C'est pas parce qu'on est vulgaire de temps en temps qu'on n'a pas de vocabulaire, mon petit garçon...

VICTOIRE. De temps en temps ?

JOSAPHAT, *lui donnant une tape sur les fesses.* Toé, là... Tu fais la sainte Nitouche, mais au fond t'haïs pas ça quand je t'étrive, hein ? Surtout avec des cochoncetés sans nom !

Il lui fait une profonde révérence. Pendant la courte scène qui suit, les deux autres adultes font semblant qu'ils ne voient rien et continuent à habiller l'arbre de Noël.

VICTOIRE. Josaphat, reprends d'autres bonbons, tu recommences à sentir la boésson !

JOSAPHAT, *d'un air ratoureux.* Vous êtes toujours veuve, mademoiselle ?

VICTOIRE. C'est pas à mon âge pis en restant enfarmée icitte que j'vas trouver quelqu'un, hein... Pis ça m'intéresse pas pantoute, tu le sais, fais-moé pas parler...

JOSAPHAT. Vous êtes pourtant toujours aussi ragoûtante...

Elle le regarde longuement avant de lui répondre.

VICTOIRE. Ragoûtante ? Moé ? Ben coudonc, j'aurai tout entendu...

JOSAPHAT. Avez-vous toujours le petit grain de beauté juste à l'intérieur du genou gauche ?

VICTOIRE. C'que j'ai à l'intérieur du genou gauche, à c't'heure, Josaphat, ça s'appelle pus un grain de beauté depuis longtemps pis c'est pas beau à voir !

JOSAPHAT. Moé, *moé,* j'trouverai toujours ça beau !

Victoire lisse sa robe avec le plat de la main.

VICTOIRE. Commence pas ça, Josaphat. Quand t'es t'en boésson, tu dis des affaires qu'on est obligé de faire semblant qu'on n'entend pas… pis que moé, *moé,* chus pus capable d'oublier, après… Y a des affaires qu'y faut jamais réveiller, Josaphat…

JOSAPHAT, *soudain très sérieux.* Mais je veux pas que tu les oublies, non plus… Réveille-les, ça va peut-être te faire du bien !

VICTOIRE, *pour changer l'atmosphère.* Plus tu t'approches, plus je trouve que t'as besoin de poissons rouges, Josaphat…

Après une pirouette, Josaphat pige dans le plat de poissons rouges et se tourne vers le narrateur.

JOSAPHAT. T'nez ben vos tuques, on part… *(Au narrateur:)* En fait, on a à peu près le même âge, moé pis le père Nowell…

LE NARRATEUR. Hein ! Y est si vieux que ça ?

JOSAPHAT. Non, c'est vrai, t'as raison… Chus un peu plus vieux que lui, j'pense. À petite école, y était une année en arrière de moé si j'me souviens bien… Pis peut-être même deux…

LE NARRATEUR. Vous alliez à l'école ensemble !

JOSAPHAT. Même que j'étais ben meilleur que lui ! Y était pas ben ben brillant, lui… Tout c'qu'y arrivait à faire, c'était des ho-ho-ho pis des ha-ha-ha…

VICTOIRE, *le coupant.* Josaphat…

JOSAPHAT, *se reprenant.* C'est pas qu'y était pas brillant, y était… Y était toujours dans' lune… Y nous disait qu'un bon jour, y passerait ses nuits de Nowell à voyager…

LE NARRATEUR. Ah oui ?

JOSAPHAT. Nous autres, on le croyait pas, tu comprends ben… Pis y était drôle dans sa petite habit rouge avec du minou blanc autour des poignets…

VICTOIRE. Josaphat…

LE NARRATEUR. Y était déjà habillé en rouge quand y allait à l'école !

JOSAPHAT, *à sa sœur.* Ben là, si tu m'arrêtes à tou'es deux mots…

VICTOIRE, *levant un peu le ton.* Tu dis des niaiseries à tou'es deux mots, Josaphat, c'est toujours ben pas de ma faute !

JOSAPHAT, *même ton.* C't'une histoire, Victoire, pis Gabriel vient de me dire d'en mettre !

LE NARRATEUR. Chicanez-vous pas comme ça, j'aime pas ça.

VICTOIRE. On se chicane pas…

JOSAPHAT. On discute fort…

LE NARRATEUR. Ben, j'aime pas ça quand vous discutez fort…

GABRIEL. Ben, t'es pas tombé dans' bonne famille, mon petit gars...

NANA. Gabriel, mêle-toi pas de ça...

LE NARRATEUR. Ah, pas vous autres aussi...

JOSAPHAT, *avec un geste d'apaisement.* Correct, correct... Vous autres, là, vous trois, vous vous concentrez sur le superbe arbre de Nowell que vous êtes en train de décorer, pis moé j'me concentre sur mon histoire ! O.K. ? *Deal* ? Sinon, on va être encore là au Jour de l'An, pis le père Nowell aura même pas eu le temps de grandir pour devenir le père Nowell !

Les autres se détournent et se concentrent sur l'arbre de Noël.

JOSAPHAT. J'sais que vous allez m'écouter, mais j'aimerais ça aussi savoir que vous m'interromprez pas sans arrêter ! Bon ! *(Au narrateur:)* Que c'est que tu voulais savoir, déjà, toé, là ?

LE NARRATEUR. Tu disais qu'y était déjà tout habillé en rouge quand y allait à l'école... Avec du minou blanc autour des poignets... Le minou, j'y crois pas, mais c'est pas grave, j'trouve ça drôle...

JOSAPHAT. Tu crois pas tout c'que je te dis ?

LE NARRATEUR. Chus t'habitué aux histoires de moman, mon oncle...

Sa mère le regarde, mais n'ose pas parler. Le narrateur sourit.

LE NARRATEUR. Ça fait-tu longtemps que tu l'as vu ?

JOSAPHAT. Ben, on peut pas dire qu'on se fréquente assidûment, là, mais y était avec moé l'année passée quand on a faite l'arbre de Nowell, si tu te souviens bien...

LE NARRATEUR. J'parle pas de celui-là, j'parle du vrai… Celui qui allait à l'école avec toi…

Josaphat regarde les autres avant de continuer.

JOSAPHAT, *un peu perdu.* Ben euh… J'comprends que ça fait longtemps que je l'ai pas vu… Y commençait juste sa carrière de distributeur de bebelles, dans ce temps-là… Mais j'ai encore son numéro de téléphone, j'pense… En tout cas, si y a gardé le même…

LE NARRATEUR. T'as le numéro de téléphone du père Nowell !

JOSAPHAT. Attends un peu, là, y me semble que je l'ai quequ'part… *(Il sort son portefeuille.)* Attends, j'avais un petit calepin. Y était noir… Ah ! Le v'là… *(Il fouille dans le calepin.)* Bon… Euh… Blanche-Neige, Cendrillon… C'est plus loin… Pinocchio… Là, j'ai été trop loin. Ah ! Le v'là ! Pére Nowell !

LE NARRATEUR. T'as toutes ces numéros de téléphone là !

JOSAPHAT. Pis ça c'est juste les numéros de téléphone avouables ! Tu devrais voir mon calepin rose nénanne, toé !

VICTOIRE. Josaphat…

JOSAPHAT. Mae West, Paula Negri, Mata-Hari…

VICTOIRE. Josaphat ! Y sait même pas qui c'est, ces femmes-là ! Tu dis ça juste pour m'étriver !

LE NARRATEUR. C'est qui, ces femmes-là, mon oncle Josaphat ?

JOSAPHAT. Des vieilles blondes à moé… Ta grand-mère les aime pas beaucoup…

LE NARRATEUR. Pourquoi ?

JOSAPHAT, *regardant sa sœur.* Ça, faudrait ben finir par y demander, un jour…

LE NARRATEUR. C'est-tu… *(baissant la voix, presque chuchotant)* … des femmes de mauvaise vie ?

NANA. Où c'est que t'as pris ça, toi ?

LE NARRATEUR. Quand vous parlez d'eux autres, vous baissez toujours la voix…

NANA. Jamais je croirai qu'on a déjà parlé de ça devant toi !

LE NARRATEUR. Des fois, vous oubliez que chus là…

VICTOIRE, *à Nana.* Tu vois, pour une fois, c'est Bartine qui a raison. C'est pas un enfant que t'as mis au monde, c'est une oreille !

GABRIEL. Un estomac, aussi, parce que je vous dis qu'y en mange un coup ! En plus de tout le reste, y va probablement être trop gros le soir de ses noces !

JOSAPHAT. Aïe, j'peux-tu continuer mon numéro, si ça vous dérange pas ?

NANA. Allez-y… *(À son enfant:)* Mais on va reparler de tout ça…

LE NARRATEUR, *pour changer la conversation.* J'veux y parler !

JOSAPHAT, *hypocritement.* À qui ?

LE NARRATEUR. Ben, au père Nowell, c't'affaire ! C'est-tu le même numéro que pour le ciel ? J'ai appelé, une fois, au ciel, pis ça répondait pas… C'est mon frère Coco qui me l'avait donné, mais des fois y est un peu mêlé dans ses numéros de téléphone…

VICTOIRE. Y a pas juste là-dedans qu'y est mêlé, pauvre lui...

NANA. Bon, une autre affaire !

JOSAPHAT. De toute façon, c'est pas le même numéro. Pour appeler au ciel, faut passer par la téléphoniste du Bell, pour appeler le père Nowell, c'est direct. En fait, ce que j'ai, moé, c'est son numéro personnel...

LE NARRATEUR. T'as le numéro *personnel* du père Nowell !

JOSAPHAT. J'vas te le composer... Viens, mets-toé sur mes genoux, sans ça ta bouche se rendra pas jusqu'au cornet pis le père Nowell t'entendra pas... Y va penser que c'est un tour, pis y va raccrocher... Pis fais attention où tu mets les pieds ! La dernière fois, mon oncle a eu les larmes aux yeux pendant des heures parce que t'étais allé patauger dans une région un peu trop sensible, pis y a eu une p'tite p'tite voix pendant des jours, après...

Le narrateur est visiblement surexcité pendant que Josaphat compose le numéro de téléphone. Nana semble avoir un scrupule.

NANA. J'pense que vous devriez arrêter ça, mon oncle Josaphat, ces histoires de fou là ! Vous allez finir par le rendre malade...

LE NARRATEUR. Quelle histoire de fou ? C'est pas une histoire de fou ! Hein, mon oncle, que c'est pas une histoire de fou ?

JOSAPHAT. Ça sonne ! Ça sonne !

Nana lève les yeux au ciel.

JOSAPHAT. Est-ce que je peux parler à monsieur Nowell, s'il vous plaît ? *(Il met sa main sur le cornet.)* J'pense que c'tait un lutin…

LE NARRATEUR, *excité.* C'est la bonne place ! C'est le bon numéro !

JOSAPHAT. Y est parti le chercher… *(Regardant les autres:)* J'vous dis que ça a l'air occupé… Y a du train, au bout de la ligne, ça a pas de bon sens…

NANA, *souriant malgré elle.* J'sais pas si Samarcette a été ben surpris…

JOSAPHAT. Allô ? Quoi ? Son frére ! *(Au narrateur:)* C'est pas au frére du père Nowell qu'on veut parler, hein ?

LE NARRATEUR, *ouvrant de grands yeux incrédules.* Le père Nowell a un frère !

JOSAPHAT, *criant dans l'appareil.* J'veux parler à Claus Nowell ! Santa Claus Nowell ! Oui, c'est ça, le père Nowell en personne, pis personne d'autre ! *(Il se penche vers son neveu.)* Y s'en vient. J'pense qu'y était aux closettes…

Victoire lance un soupir d'exaspération. Gabriel éclate de rire.

JOSAPHAT. Pis quand y est aux closettes, c'est son frère Clovis qui répond à sa place… Mais y est au courant de rien pis y dit n'importe quoi… Faut jamais croire ce que Clovis Nowell nous dit. Faut toujours être sûr qu'on parle à Santa Claus Nowell en personne ! Allô ? Santa ? Comment ça va, vieux verrat ? Toujours la poche r'montée sus l'épaule ? Tu me reconnais pas ? Josaphat ! Josaphat-le-violon ! Autrefois de Duhamel pis désormais du faubourg à m'lasse ! Certainement, que chus toujours violonneux ! M'as dire comme on dit : « Violonneux un jour, violonneux tout le tour ! » Pis toé ? Toujours aussi gros ? Pis les tartes à farlouche de ta femme sont toujours aussi bonnes ? Pis ses *mince meat pies* toujours aussi grasses ? La dernière fois que j'en ai mangées, j'les ai rotées pendant des mois ! Mes chocolats de Pâques goûtaient encore les *mince meat pies* ! *(Pause.)* Au régime ! Ah, elle, pas toé ! Y me semblait, aussi ! Un père Nowell maigre, c'est comme un enfant Jésus sans auréole ! Ou ben une Sainte Vierge habillée en jaune ! Les enfants auraient peur ! Aïe, écoute, j'peux pas te parler trop longtemps, tu comprends, c'est un longue-distance, ça coûte cher sans bon sens, pis mon neveu Gabriel est ben cheap, mais y a quelqu'un à côté de moé qui aimerait ben ça te dire quequ'mots... Y s'appelle Michel, y a pas été spécialement sage pendant l'année, mais on est un peu trop bons avec lui, si tu vois ce que je veux dire... Ouan... Gâté pourri... Ouan... Pas endurable par boutes... Qu'est-ce tu veux, ses parents sont trop mous avec lui... Pis sa grand-mère aussi... Pis sa marraine aussi... O.K., salut, là, pis dis bonjour de ma part à Noëlla ! Si la malle était plus fiable, j'y demanderais de m'envoyer quequ'tartes à' farlouche, mais y arriveraient en compote ! Pis je digère pas la compote aux tartes...

Gabriel pouffe encore de rire.

GABRIEL. Mon oncle Josaphat ! Franchement ! Noëlla !

JOSAPHAT, *fier de sa trouvaille.* Noëlla Nowell, t'aimes pas ça ? C'pas un beau nom pour sa femme ?

LE NARRATEUR. J'veux pus y parler ! Chus trop gêné !

JOSAPHAT. Michel ! C'est un longue-distance, ça, là ! En direct avec Candyville, la capitale du pôle Nord ! Fais-nous pas dépenser tout c't'argent-là pour rien !

Le narrateur prend le récepteur, approche la bouche du cornet.

LE NARRATEUR, *timidement.* Allô ?

On entend des ho-ho-ho et des ha-ha-ha lointains, le narrateur se dégèle complètement et sourit.

LE NARRATEUR. Êtes-vous après préparer les bebelles de Nowell, père Nowell ? Parce que c'est dans trois jours, là…

Le père Noël rit beaucoup, peut-être un peu trop parce que le narrateur fronce les sourcils.

LE NARRATEUR. Vous êtes pas après boire de la bière, toujours, parce que vous risez comme mes mononcles quand y boivent trop…

Autres rires.

LE NARRATEUR. C'est quoi, le bruit qu'on entend, en arrière ? *(Il écoute.)* Y ont des grosses voix pour des lutins ! Hein ! La finition des bebelles ! C'est quoi, les miens ? C'est quoi ? C'est quoi ? *(Il écoute, fronce encore les sourcils. Puis, à Josaphat:)* Mon oncle, y vient de dire câline comme mon oncle Édouard !

VICTOIRE, *qui veut couvrir la gaffe de son fils.* Euh… dis-y que c'est pas beau de dire ça…

NANA. C'est surtout pas le temps…

LE NARRATEUR. Ma grand-mère fait dire… Ah, vous avez entendu… Ben, dites-lé pus ! *(Revenant à sa conversation initiale:)* Mon train électrique, c'est-tu un Lionel comme j'avais demandé ? Ah, c'est vrai, faudrait que ça soye une surprise… Ben, j'vas faire mon surpris, j'vous le promets… Hein ? Oui, c'est vrai, ça coûte cher, un longue-distance… Ben… Allez-vous manger la tarte aux pommes de moman comme l'année passée ? *(Il écoute. Puis, à sa mère:)* Le père Nowell fait demander si y va y avoir de la cannelle, dedans… *(Il écoute.)* Si y en a, y va prendre des beignes !

Victoire fait un geste de triomphe.

JOSAPHAT. Bon, ben, donne des beaux becs au père Nowell, là, faut pas le déranger trop longtemps…

LE NARRATEUR. Bye, bye, père Nowell ! *(Il écoute quelques secondes.)* Quoi ? Quelle assistante ? Hein ! La fée des étoèles s'en vient ici ! Quand ça ? Ben non, est pas encore arrivée... O.K., j'l'attends ! Bye !

Le narrateur donne deux ou trois becs dans le cornet et raccroche.

LE NARRATEUR. J'ai parlé au père Nowell, moman !

NANA, *entre ses dents.* Ouan, celui qui est toujours en party pis qui dit câline à tout bout de champ...

LE NARRATEUR. Pis y dit que la fée des étoèles s'en vient, a' le remplace, c't'année, ça a l'air, pour décorer les arbres de Nowell... !

NANA. J'espère que tu vas bien la recevoir !

LE NARRATEUR. Aïe ! J'comprends ! La fée des étoèles, on rit pas...

NANA. J'te l'ai déjà dit, Michel, on dit pas étoèles, on dit étoiles !

VICTOIRE. Avec un w ? Étwales ?

LE NARRATEUR. Tout le monde dit étoèles, dans' maison...

NANA. Laisse faire les autres... Moi, toi, étoiles... C'est comme ça que je veux que tu parles...

JOSAPHAT. Y va se faire tuer, à l'école, si tu le fais parler de même, Nana...

GABRIEL. Ça fait cent fois que j'y dis...

NANA. J'aime mieux avoir un enfant mort qui parle bien qu'un enfant vivant qui parle comme vous autres ! *(Elle réalise ce qu'elle vient de dire.)* Mon Dieu, qu'est-ce que je dis là, moi... J'vas porter malheur à mon enfant...

On sonne à la porte.

VICTOIRE. Ça y est, c'est elle !

LE NARRATEUR. La fées des étoèles… euh, des étoiles, c'est la fée des étoiles !

Il sort en courant.

NANA. J'espère que ça va ben aller…

GABRIEL. Tu peux toujours rêver…

JOSAPHAT. Pauvre Bartine, comment a' va faire, all' a l'imagination d'un barreau de chaise !

NANA. Découragez-moi pas d'avance, vous autres…

ALBERTINE, *de la coulisse*. Ah ! ben, 'gard donc çaaa, le beau tit-gaaars !

VICTOIRE. Mon Dieu, est déjà mauvaise !

ALBERTINE. Comment tu t'appelles ? Hein ? Dis-lé plus fort, ma tante… euh, la fée t'entend pas… T'es pas gêné avec la fée des étoèles, toujours !

Albertine et le narrateur reviennent. Albertine est déguisée en fée des étoiles des pauvres. Elle porte la robe bleu pâle qu'elle cousait au début de la pièce, s'est fabriqué une baguette magique avec un quelconque bâton et s'est posé sur la tête un diadème d'une grande laideur. Elle a mis par-dessus tout ça son propre manteau d'hiver. Le narrateur n'est pas dupe et ouvre de grands yeux, ne sachant pas comment réagir.

ALBERTINE. Salut, tout le monde ! Le père Nowell vous fait dire bonjour ! Y s'excuse de pas pouvoir être là, c'est moé, la fée des étoèles, qui le remplace pour aujourd'hui… Ben, coudonc, ça a l'air que vous êtes pognés avec moé…

Elle rit faux.

LE NARRATEUR, *à sa mère*. C'est ça, la fée des étoèles ? *(Plus bas:)* Ma tante Bartine ?

NANA. Sois fin, là, pis fais semblant que tu la reconnais pas ! J't'expliquerai tout ça plus tard…

LE NARRATEUR. J'vas passer pour un niaiseux !

NANA. Vaut mieux passer pour un niaiseux que pour un sans-cœur !

ALBERTINE. Y a-tu peur de la fée des étoèles, c'te beau tit-gars-là ? Cache-toé pas derrière ta mère comme ça, viens voir ma tante !

Victoire lui tire sur la robe.

ALBERTINE. Hein ? Ah oui… Viens voir ma fée ! Euh, la fée ! Bon, dans quoi j'me sus t'embarquée, là, moé… Euh… All' a faite tout un voyage pour venir te voir, t'sais, c'est pas qu'une petite fée ! A' vole dans les airs, a' va plus vite qu'un aréoplane, une vraie fusée ! Juste pour toé ! Juste pour te voir ! Juste pour te rendre visite !

Tout le monde est catastrophé par sa performance et elle s'en rend bien compte.

ALBERTINE. Ben, euh… Ah, c'est ça, l'arbre de Nowell qu'y faut décorer ? C't'un gros, hein, ça va prendre du temps ! M'en vas vous aider ! La fée des étoèles est ben bonne dans les guirlandes ! C'est sa spécialité ! Vous y donnez une guirlande, pis a' fait des miracles avec ! *(Elle perd de plus en plus contenance, mais aperçoit soudain l'ange en haut de l'arbre.)* Mais c'est drôle, 'gard donc ça, c'est pas une étoèle qu'y a en haut, c'est un ange ! *(En direction de Nana:)* La fée des étoèles, all'aime pas ça, les anges, en haut des arbres, all' aime mieux des étoèles… Va falloir changer ça. *(À son neveu:)* Hein, tit-gars, tu vas demander à ta mère qu'a' change ça ? Ça a pas de bon sens, c'est laitte, ça se fait pas… Faut changer ça absolument ! Bon ben, euh… on finit-tu de le décorer, c't'arbre-là, ou ben si tu veux dire tu-suite à la fée des étoèles que c'est que tu veux pour Nowell pour qu'all' aille le dire au père Nowell ? As-tu été sage, au moins, c't'année ? *(Elle est visiblement épuisée.)* Comment m'as faire pour tenir comme ça pendant une heure, moé ? J'ai déjà tout dit ce que j'avais à dire pis ça fait même pas deux menutes que chus t'arrivée ! Donnez-moé un verre d'eau, quequ'chose, j'ai pus de salive !

Elle rit faux, sa mère se cache le visage dans les mains, les deux hommes pouffent de rire.

LE NARRATEUR. Ça sert à rien, ma tante, j't'ai reconnue… pis chus pas capable de faire semblant.

Moment de silence horrifié.

ALBERTINE, *toujours dans son rôle.* De que c'est ?

LE NARRATEUR. J't'ai reconnue, ma tante…

NANA. Michel, j't'avais dit de pas faire ça…

ALBERTINE. Ma tante ? Qui ça, ma tante ? Où ça, une matante ?

VICTOIRE. Bartine… laisse faire…

ALBERTINE, *démolie.* Ben oui, mais…

LE NARRATEUR. Excuse-moi, ma tante…

GABRIEL, *à Josaphat.* Bon, ben j'pense qu'on serait aussi ben d'aller en fumer une au salon, nous autres…

VICTOIRE. Vous autres, les lâches, restez icitte !

Albertine reste figée quelques secondes.

ALBERTINE. Bon. Ben, coudonc. Ça a l'air que… j'ai toute faite ça pour rien, hein ! *(Elle éclate.)* On sait ben ! J'ai toute faite ça pour rien ! La robe, le diadème, la baguette magique ! Toute pour rien ! J'm'étais préparé tout un numéro oùsque j'faisais apparaître des bonbons avec ma baguette magique pis que je sortais un toutou d'une poche cachée, mais j'ai même pas eu le temps de me rendre jusque-là ! J'me sus fait prendre tu-suite comme une épaisse !

Elle lance la baguette magique, s'arrache le diadème, enlève sa robe.

NANA. Bartine, prends sus toi !

ALBERTINE. Vous, là, avec votre enfant trop curieux… sortez-lé d'icitte avant que je l'étripe !

VICTOIRE. Voyons donc, Bartine…

ALBERTINE. Que c'est que vous voulez que je fasse, moman ? Que je prenne ça avec un grain de sel ? Que je rie ! Chus même pas capable de faire croire à un enfant de six ans que chus la fée des étoèles ! Y a six ans pis y m'a reconnue aussitôt qu'y a ouvert la porte ! Je l'ai vu dans ses yeux ! J'ai lu le désappointement dans ses yeux, moman, pis j'arais voulu mourir là !

LE NARRATEUR. C'est pas grave, ma tante…

ALBERTINE. Ben oui, c'est grave ! *(Elle est au bord des larmes.)* Certain, que c'est grave ! T'es trop petit pour t'en rendre compte, mais mets-toé à ma place ! J'me débats, j'me désâme pour te faire plaisir parce que le gros Édouard est trop occupé pour faire sa job, là, pis…

VICTOIRE. Bartine…

ALBERTINE. On sait ben, tu le reconnais pas, lui ! Tu t'arranges pour pas le reconnaître ! Parce qu'y a une barbe dans' face ! Arait fallu que la fée des étoèles aye une barbe dans' face pour que tu me reconnaisses pas, je suppose !

LE NARRATEUR. Excuse-moi…

Elle le regarde quelques secondes.

ALBERTINE. Ben non, ben non… J'suppose que ça serait à moé de m'excuser… De pas avoir été meilleure. Rien ! Rien ! Y a rien que je fais qui marche ! Rien ! Jamais ! Nulle part ! J'ai beau essayer…

Le narrateur s'approche d'elle, la prend dans ses bras.

LE NARRATEUR. C'est correct, ma tante…

ALBERTINE. J'ai beau essayer, faire ce que je peux… Y a rien qui marche, jamais !

Elle pleure.

LE NARRATEUR, *au public.* Je pense qu'on va arrêter ça là… J'ai eu tort de la reconnaître… J'aurais dû lui faire le cadeau de jouer le jeu… On va faire comme si je l'avais pas reconnue… La mémoire est un miroir qu'on peut contrôler à volonté. Heureusement. *(Albertine s'éloigne de lui.)* On va reprendre au moment où tu m'as demandé si j'avais été sage. *(Il se tourne vers elle.)* Certain, que j'ai été sage ! Hein, moman, que j'ai été sage ?

NANA, *avec un geste de doute.* Comme une image… d'horreur !

GABRIEL. V'nez nous aider… ma fée… Y a un set de lumières qui marche pas… Sortez votre baguette magique…

JOSAPHAT. Ben oui, pis j'ai une guirlande qui vous intéresserait peut-être…

VICTOIRE. Josaphat, tes farces sont tellement plates que je pourrais faire mon repassage dessus !

ALBERTINE. Viens icitte, mon tit-gars, la fée a un beau tour de magie à te montrer…

Les personnages se mettent à parler en même temps.

LE NARRATEUR, *au public.* J'aime mieux terminer tout ça dans la bonne humeur… Le temps des Fêtes a trop souvent fini dans le drame… J'aime mieux me rappeler des bons souvenirs…

Nana se tourne vers le narrateur.

NANA. T'as oublié quequ'chose, par exemple…

LE NARRATEUR. Quoi ?

Nana fait signe aux autres de se taire.

NANA. T'as oublié quequ'chose ou, plutôt, quelqu'un…

VICTOIRE. Ben oui…

ALBERTINE. Pauvre elle…

LE NARRATEUR. J'ai oublié quelqu'un ?

GABRIEL. Ben oui…

JOSAPHAT. Lise Allard !

LE NARRATEUR. Hein !

VICTOIRE. Pauvre elle…

NANA. On l'a vue juste un peu au début…

ALBERTINE. Est restée deux minutes…

GABRIEL. Pis on l'a jamais revue !

JOSAPHAT. On sait même pas si est heureuse en mariage !

GABRIEL. On aimerait ça, le savoir…

LE NARRATEUR. Mais j'avais pas besoin d'elle, après…

GABRIEL. Pis ?

NANA. C'est pas une raison pour l'abandonner comme ça !

ALBERTINE. Est restée en coulisse tout ce temps-là à rien faire ! Ça devait être plate, vrai !

VICTOIRE. R'gardez, est juste là, là...

Ils regardent en direction de la coulisse.

JOSAPHAT. A' l'air de s'ennuyer sans bon sens...

VICTOIRE. Tu nous fais dire toutes sortes de niaiseries quand ça fait ton affaire...

ALBERTINE. ... pis tu nous abandonnes quand t'as pus besoin de nous autres... Comme si on était pas capables de parler tu-seuls !

Nana se dirige vers la coulisse.

NANA. Viens, Lise, viens...

Lise entre en scène, timide.

NANA. Faut qu'on te voye un peu... Pis, le plat de *cacahuètes,* toujours ?

LISE ALLARD. Ah, y est ben c'mode...

VICTOIRE. Sois pas gênée, comme ça, montre-toé, faut que le monde te voye...

Lise se redresse, envoie timidement la main au public.

JOSAPHAT. Es-tu heureuse en mariage ?

GABRIEL. Ton mari est-tu à la hauteur ?

NANA. Gabriel ! *(Elle montre Josaphat.)* Y en a assez d'un, tu trouves pas ?

ALBERTINE, *au narrateur.* En tout cas, moé, j'en arais, des affaires à dire... J'ai pas besoin de toé...

VICTOIRE. Moi non plus, tant qu'à ça...

JOSAPHAT. J'pourrais t'en faire, mon p'tit gars, des pièces bâties sur la mémoire... T'aurais pas besoin d'en inventer !

LE NARRATEUR, *en souriant*. Ben, c'est correct, allez-y... défoulez-vous...

Ils se mettent tous à lui raconter des histoires, y compris Lise Allard. Les monologues qui suivent vont se dire en même temps, chaque personnage essayant d'attirer l'attention du narrateur. Le narrateur s'assoit au milieu d'eux et sourit aux anges, heureux.

JOSAPHAT. J'pourrais te raconter mon histoire de chasse-galerie que t'aimes tant, t'sais, là, la celle avec le yable lui-même en personne qui se promène dans le ciel des Laurentides en canot d'écorce pis oùsque Willy Ouellette, le maudit niaiseux, envale sa musique à bouche parce que le canot fait une embardée au-dessus de Piedmont, pis que le yable est obligé de le ressusciter avec du Caribou parce que son onguent magique marche pas, pis que moé, ton oncle Josaphat, Josaphat-le-violon lui-même en parsonne, j'arrive à déjouer le yable en parsonne en remplaçant son caribou par de l'eau bénite... Tu t'en rappelles de celle-là, hein, c'est une de celles que t'aimes le plus, c'est une de celles qui te fait le plus peur... Tu la trouvais jamais ennuyante, celle-là, jamais !

VICTOIRE. Cher tit-gars, je pourrais t'en conter, des histoires, à te faire frémir, à te faire dresser les cheveux sur la tête, à te faire trembler pour le reste de tes jours... Des histoires de malheurs trop grands pour les ceuses à qui ça arrive, des histoires d'amour qui ont pas de bon sens, d'enfants qui viennent au monde même si y devraient pas, de déménagements en ville qui servent à rien parce qu'y règlent rien pantoute, de vies complètes, mon petit gars, de vies complètes gâchées pour l'amour de l'amour, pour un amour défendu qui arrive pas à se décrocher, qui arrive pas à s'éteindre, qui arrive pas à mourir même si y aurait pas dû venir au monde… Des histoires qui se content pas parce que les ceuses à qui sont arrivées ont trop honte !

NANA. Dieu sait que je t'en ai conté, pourtant, des histoires… Çà, on peut pas dire que j'me sus retenue… Mais c'était peut-être pas les bonnes… Des fois, je pense à ça, pis j'me dis que j'aurais peut-être pas dû te remplir la tête de mes questionnements à moi, de mes problèmes à moi, que j'aurais peut-être dû te traiter plus en enfant qui doit écouter sa mère pis moins comme quelqu'un avec qui on aime ça discuter… J'aurais peut-être dû t'envoyer jouer avec les autres enfants quand on te trouvait toute racovié en dessous de la table à nous écouter jaser, c'était peut-être pas… comment je dirais ça… C'était peut-être pas normal pour un petit garçon de passer sa vie en dessous d'une table à écouter ce que les adultes disaient ! Peut-être que c'était pas normal ! Mais t'aimais tellement ça ! Pis moi j'aimais tellement ça te garder avec moi !

ALBERTINE. Je l'ai toujours su, t'sais, que c'était pas pour rien que tu me suivais partout… Que tu faisais ça pas juste pour m'écouter… Que tu m'étudiais. Oui, je pense que c'est ça le bon mot… Peut-être que tu le savais pas toé-même, que tu me trouvais juste drôle ou ben donc juste niaiseuse, mais si tu me suivais partout comme ça, j'aimerais ça aussi pouvoir penser que c'est parce que quequ'part tu me trouvais intéressante ! J'aimerais ça pouvoir penser que quelqu'un m'a déjà trouvée assez intéressante pour me suivre partout, pour m'étudier… pour m'aimer. J'aimerais tellement ça avoir été le centre de la vie de quelqu'un, si tu savais ! J'aimerais tellement ça ! J'aimerais tellement ça ! Tellement !

GABRIEL. C'est vrai que j'me sus peut-être pas assez occupé de toé… Que t'étais plus le fils de ta mère que celui de ton père… Que j'ai trop respecté ça… C'est ta mère qui te voulait, c'est elle qui voulait un autre enfant, pis a' t'a un peu élevé tu-seule… Pis c'est vrai que c'est un peu de ma faute… J'ai pas connu mon dernier garçon comme j'aurais dû… Mais ça veut pas dire qu'y avait pas de sentiments, ça veut pas dire que j't'ai moins aimé que les autres, ça veut juste dire c'que je viens de dire… T'étais un cadeau pour elle, c'était sa dernière chance d'avoir un enfant, d'avoir la fille qu'a' voulait tant, c'est toi qui es t'arrivé, mais a' t'a aimé comme rarement une mère a aimé son enfant, j'espère que tu le sais ! J'espère que tu le sais, ça !

LISE ALLARD. Je sais pas quoi te dire. Parce que quand j'me suis mariée, j'ai disparu de ta vie pis qu'on s'est rarement revus… Comme je sais que les malheurs pour toi sont plus intéressants que le bonheur, que ce que t'aimes fouiller c'est pas pourquoi le monde sont heureux mais plutôt pourquoi y sont si malheureux, j'me sentirais obligée de t'inventer des gros drames pis des maladies terribles même si y a rien eu de tout ça de vrai… Mais chus pas capable… J'ai pas le goût… J'veux juste te dire que j'ai été heureuse… avec des difficultés comme tout le monde, des boutes *rough*, des coups durs, mais rien de ben dramatique comme t'aimes, rien qu'on peut exagérer pis mettre dans des pièces de théâtre. Chus désolée.

Ils parlent de plus en plus fort et sont de plus en plus animés puis, tout à coup…

NOIR.

ALBERTINE, *dans le noir.* C'est vrai, coudonc, que je sais pus quoi dire, là, moé !

Entrelacs – Montréal, août 2004

TABLE

DU MÊME AUTEUR

ROMANS, RÉCITS ET CONTES

Contes pour buveurs attardés, Éditions du Jour, 1966 ; BQ, 1996
La cité dans l'œuf, Éditions du Jour, 1969 ; BQ, 1997
C't'à ton tour, Laura Cadieux, Éditions du Jour, 1973 ; BQ, 1997
Le cœur découvert, Leméac, 1986 ; Babel, 1995
Les vues animées, Leméac, 1990 ; Babel, 1999
Douze coups de théâtre, Leméac, 1992 ; Babel, 1997
Le cœur éclaté, Leméac, 1993 ; Babel, 1995
Un ange cornu avec des ailes de tôle, Leméac / Actes Sud, 1994 ; Babel, 1996
La nuit des princes charmants, Leméac / Actes Sud, 1995 ; Babel, 2000
Quarante-quatre minutes, quarante-quatre secondes, Leméac / Actes Sud, 1997
Hotel Bristol, New York, N.Y., Leméac / Actes Sud, 1999
L'homme qui entendait siffler une bouilloire, Leméac / Actes Sud, 2001
Bonbons assortis, Leméac / Actes Sud, 2002
Le cahier noir, Leméac / Actes Sud, 2003
Le cahier rouge, Leméac / Actes Sud, 2004
Le cahier bleu, Leméac / Actes Sud, 2005
Le gay savoir, Leméac / Actes Sud, coll. « Thesaurus », 2005

CHRONIQUES DU PLATEAU-MONT-ROYAL

La grosse femme d'à côté est enceinte, Leméac, 1978 ; Babel, 1995
Thérèse et Pierrette à l'école des Saints-Anges, Leméac, 1980 ; Grasset, 1983 ; Babel, 1995
La duchesse et le roturier, Leméac, 1982 ; Grasset, 1984 ; BQ, 1992
Des nouvelles d'Édouard, Leméac, 1984 ; Babel, 1997
Le premier quartier de la lune, Leméac, 1989 ; Babel, 1999
Un objet de beauté, Leméac / Actes Sud, 1997
Chroniques du Plateau-Mont-Royal, Leméac / Actes Sud, coll. « Thesaurus », 2000

THÉÂTRE

En pièces détachées, Leméac, 1970

Trois petits tours, Leméac, 1971

À toi, pour toujours, ta Marie-Lou, Leméac, 1971

Les belles-sœurs, Leméac, 1972

Demain matin, Montréal m'attend, Leméac, 1972 ; 1995

Hosanna suivi de *La Duchesse de Langeais,* Leméac, 1973 ; 1984

Bonjour, là, bonjour, Leméac, 1974

Les héros de mon enfance, Leméac, 1976

Sainte Carmen de la Main suivi de *Surprise ! Surprise !,* Leméac, 1976

Damnée Manon, sacrée Sandra, Leméac, 1977

L'impromptu d'Outremont, Leméac, 1980

Les anciennes odeurs, Leméac, 1981

Albertine en cinq temps, Leméac, 1984

Le vrai monde ?, Leméac, 1987

Nelligan, Leméac, 1990

La maison suspendue, Leméac, 1990

Le train, Leméac, 1990

Théâtre I, Leméac / Actes Sud-Papiers, 1991

Marcel poursuivi par les chiens, Leméac, 1992

En circuit fermé, Leméac, 1994

Messe solennelle pour une pleine lune d'été, Leméac, 1996

Encore une fois, si vous permettez, Leméac, 1998

L'état des lieux, Leméac, 2002

Le passé antérieur, Leméac, 2003

Le cœur découvert – scénario, Leméac, 2003

L'impératif présent, Leméac, 2003

OUVRAGE RÉALISÉ PAR
LUC JACQUES, TYPOGRAPHE
ACHEVÉ D'IMPRIMER
EN FÉVRIER 2006
SUR LES PRESSES
DES IMPRIMERIES TRANSCONTINENTAL
POUR LE COMPTE DE
LEMÉAC ÉDITEUR, MONTRÉAL

DÉPÔT LÉGAL
1re ÉDITION: 1er TRIMESTRE 2006
(ÉD. 01 / IMP. 01)